RAPHAEL'S ASTRONOMICAL

Ephemeris of

Mean Obliquity of t

INTI

In the preparation of the ... EPHEMERIS I am supported by a team of expert mathematicians, and every calculation is checked and doubly checked, thereby reducing the possibility of error to almost nil.

It can therefore be claimed that, as far as humanly possible, complete accuracy is assured. It is for this reason that, through the centuries, RAPHAEL'S EPHEMERIS has become recognised all over the world as the most reliable Astronomical Ephemeris published.

To conform with internationally adopted procedure, all times in this Ephemeris are calculated in Ephemeris Time. A brief explanation of this is given on page 37.

RAPHAEL

BRITISH SUMMER TIME

British Summer Time begins on March 18 and ends on October 28. When *British Summer Time* (one hour in advance of G.M.T.) is used, subtract one hour from B.S.T. before entering this Ephemeris.

[Certain of the astronomical information in this Ephemeris is based upon the Astronomical Ephemeris, and is included by permission of the Controller of H.M. Stationery Office.]

Published by

LONDON : W. FOULSHAM & CO., LTD.

YEOVIL ROAD, SLOUGH, BUCKS., ENGLAND

NEW YORK TORONTO CAPE TOWN SYDNEY

ISBN 0-572-00798-1

New Moon—January 4*d.* 3*h.* 43*m.* *p.m.*

D M	Neptune Lat.	Neptune Dec.	Herschel Lat.	Herschel Dec.	Saturn Lat.	Saturn Dec.	Jupiter Lat.	Jupiter Dec.	Mars Lat.	Mars Dec.	Mars Dec.
	° ′	° ′	° ′	° ′	° ′	° ′	° ′	° ′	° ′	° ′	° ′
1	1 N 35	19 S 48	0 N 37	8 S 17	1 S 36	21 N 2	0 S 10	22 S 25	0 N 16	20 S 9	20 S 18
3	1 35	19 49	0 37	8 17	1 36	21 1	0 11	22 21	0 15	20 27	20 35
5	1 35	19 49	0 37	8 18	1 36	21 1	0 11	22 18	0 13	20 44	20 52
7	1 35	19 50	0 37	8 19	1 35	21 0	0 11	22 14	0 12	21 0	21 8
9	1 35	19 50	0 37	8 20	1 35	21 0	0 11	22 10	0 11	21 15	21 23
11	1 35	19 51	0 37	8 21	1 34	21 0	0 11	22 6	0 9	21 30	21 37
13	1 35	19 51	0 38	8 21	1 34	20 59	0 12	22 2	0 8	21 44	21 51
15	1 35	19 52	0 38	8 22	1 33	20 59	0 12	21 58	0 7	21 58	22 4
17	1 35	19 52	0 38	8 22	1 33	20 59	0 12	21 54	0 5	22 10	22 16
19	1 35	19 53	0 38	8 22	1 33	20 58	0 12	21 49	0 4	22 22	22 28
21	1 35	19 53	0 38	8 23	1 32	20 58	0 12	21 45	0 2	22 33	22 38
23	1 36	19 53	0 38	8 23	1 32	20 58	0 13	21 41	0 N 1	22 43	22 48
25	1 36	19 54	0 38	8 23	1 31	20 58	0 13	21 36	0 S 1	22 53	22 57
27	1 36	19 54	0 38	8 23	1 31	20 58	0 13	21 32	0 2	23 2	23 6
29	1 36	19 55	0 38	8 23	1 30	20 58	0 13	21 27	0 4	23 9	23 S 13
31	1 N 36	19 S 55	0 N 38	8 S 22	1 S 30	20 N 58	0 S 13	21 S 22	0 S 5	23 S 17	

D M	D W	Sidereal Time	☉ Long.	☉ Dec.	☽ Long.	☽ Lat.	☽ Dec.	MIDNIGHT ☽ Long.	MIDNIGHT ☽ Dec.
		H. M. S.	° ′ ″	° ′	° ′ ″	° ′	° ′	° ′ ″	° ′
1	M	18 43 59	10 ♑ 56 41	23 S 0	6 ♐ 27 58	3 S 26	24 S 46	12 ♐ 23 0	25 S 15
2	Tu	18 47 56	11 57 52	22 54	18 18 55	2 32	25 27	24 16 1	25 21
3	W	18 51 52	12 59 4	22 49	0 ♑ 14 34	1 31	24 57	6 ♑ 14 50	24 16
4	Th	18 55 49	14 0 15	22 42	12 17 2	0 S 25	23 17	18 21 23	22 2
5	F	18 59 45	15 1 26	22 36	24 28 4	0 N 43	20 32	0 ♒ 37 15	18 47
6	S	19 3 42	16 2 37	22 29	6 ♒ 49 7	1 49	16 49	13 3 50	14 39
7	𝔖	19 7 38	17 3 47	22 21	19 21 34	2 51	12 18	25 42 28	9 49
8	M	19 11 35	18 4 58	22 13	2 ♓ 6 43	3 46	7 12	8 ♓ 34 29	4 S 30
9	Tu	19 15 32	19 6 8	22 5	15 5 56	4 31	1 S 43	21 41 15	1 N 7
10	W	19 19 28	20 7 17	21 56	28 20 34	5 1	3 N 57	5 ♈ 4 3	6 46
11	Th	19 23 25	21 8 26	21 47	11 ♈ 51 48	5 16	9 33	18 43 54	12 14
12	F	19 27 21	22 9 34	21 37	25 40 22	5 14	14 48	2 ♉ 41 10	17 11
13	S	19 31 18	23 10 42	21 27	9 ♉ 46 12	4 52	19 22	16 55 15	21 17
14	𝔖	19 35 14	24 11 48	21 17	24 8 0	4 13	22 53	1 ♊ 24 5	24 8
15	M	19 39 11	25 12 55	21 6	8 ♊ 42 57	3 16	24 59	16 4 0	25 24
16	Tu	19 43 7	26 14 0	20 54	23 26 31	2 6	25 23	0 ♋ 49 42	24 54
17	W	19 47 4	27 15 5	20 43	8 ♋ 12 41	0 N 48	23 59	15 34 35	22 39
18	Th	19 51 1	28 16 9	20 31	22 54 31	0 S 34	20 57	0 ♌ 11 37	18 55
19	F	19 54 57	29 ♑ 17 13	20 18	7 ♌ 25 4	1 52	16 37	14 34 9	14 6
20	S	19 58 54	0 ♒ 18 16	20 5	21 38 15	3 1	11 26	28 36 52	8 39
21	𝔖	20 2 50	1 19 18	19 52	5 ♍ 29 38	3 58	5 48	12 ♍ 16 20	2 N 56
22	M	20 6 47	2 20 20	19 38	18 56 53	4 40	0 N 5	25 31 19	2 S 44
23	Tu	20 10 43	3 21 21	19 24	1 ♎ 59 49	5 6	5 S 28	8 ♎ 22 38	8 7
24	W	20 14 40	4 22 22	19 10	14 40 9	5 16	10 38	20 52 48	13 1
25	Th	20 18 36	5 23 22	18 56	27 1 6	5 11	15 14	3 ♏ 5 34	17 17
26	F	20 22 33	6 24 22	18 40	9 ♏ 6 49	4 52	19 9	15 5 26	20 47
27	S	20 26 30	7 25 21	18 25	21 2 3	4 21	22 13	26 57 18	23 23
28	𝔖	20 30 26	8 26 19	18 9	2 ♐ 51 46	3 39	24 19	8 ♐ 46 4	24 58
29	M	20 34 23	9 27 17	17 53	14 40 46	2 48	25 20	20 36 24	25 25
30	Tu	20 38 19	10 28 13	17 37	26 33 30	1 49	25 13	2 ♑ 32 31	24 43
31	W	20 42 16	11 ♒ 29 10	17 S 20	8 ♑ 33 54	0 S 45	23 S 55	14 ♑ 37 59	22 S 50

First Quarter—January 12*d.* 5*h.* 28*m.* *a.m.*

D M	Venus Lat. ° ′	Venus Dec. ° ′	Venus Dec. ° ′	Mercury Lat. ° ′	Mercury Dec. ° ′	Mercury Dec. ° ′	☽ Node ° ′
1	0 N 53	21 S 57	22 S 6	0 S 4	23 S 26	23 S 36	17 ♑ 13
3	0 48	22 14	22 22	0 19	23 45	23 52	17 7
5	0 43	22 30	22 36	0 33	23 59	24 4	17 1
7	0 38	22 42	22 48	0 46	24 8	24 11	16 54
9	0 33	22 52	22 56	0 58	24 12	24 12	16 48
11	0 27	22 59	23 2	1 9	24 11	24 9	16 41
13	0 22	23 3	23 4	1 20	24 5	23 59	16 35
15	0 17	23 5	23 4	1 30	23 53	23 45	16 29
17	0 12	23 3	23 2	1 39	23 35	23 24	16 22
19	0 6	22 59	22 56	1 47	23 12	22 58	16 16
21	0 N 1	22 52	22 48	1 53	22 43	22 26	16 10
23	0 S 4	22 42	22 36	1 58	22 8	21 48	16 3
25	0 9	22 30	22 22	2 2	21 27	21 4	15 57
27	0 14	22 14	22 6	2 4	20 40	20 14	15 51
29	0 19	21 56	21 S 46	2 5	19 46	19 S 18	15 44
31	0 S 24	21 S 35		2 S 4	18 S 47		15 ♑ 38

Mutual Aspects

2. ☉⊥♆. ♀⊻♃. 4. ♀P♃.
5. ☉P♀, ▽♄. ♂∠♃.
6. ♀✱♅. ♂✱♇. ♇Stat.
7. ☿Q♅, □♇. ♂P♄.
8. ☉P♃. ☿⊻♂ & ♆.
9. ♂☌♆. 10. ☉☌♃.
11. ☉±♄, ∠♆. ♂∠♅.
12. ☉P♂. ☿⊥♆. ♃±♄.
13. ☉□♅. 14. ☿▽♄.
15. ☿⊥♂. ♀Q♅, □♇. ♂P♃.
16. ☉P♄.
17. ☉∠♂. ☿±♄. ♀⊻♆.
18. ☿☌♃, ∠♆. [♃∠♆.
19. ☉⚼♄. ☿□♅.
20. ☿P♀. ♂☍♄.
21. ☉P♆. ☿P♂.
22. ♀⊥♆. [♂Q♇. ♃□♅.
23. ☿⚼♄. ♀P♂, ▽♄.
24. ☉△♇.
25. ☿∠♂, P♃. ♂⊥♃.
26. ☿P♄, △♇. ♀⊻♂. [Stat.
27. ☉✱♆. ☿✱♆. ♀±♄. ♅.
28. ☉☌☿. 29. ☿P♆. ♀∠♆.
30. ♀□♅. 31. ☿△♄. ♀☌♃.

D M	♆ Long. ° ′	♅ Long. ° ′	♄ Long. ° ′	♃ Long. ° ′	♂ Long. ° ′	♀ Long. ° ′	☿ Long. ° ′	☉	♇	♆	♅	♄	♃	♂	♀	☿
1	6 ♐ 15	22 ♎ 45	15 ♊ 16	17 ♑ 56	1 ♐ 14	17 ♐ 7	25 ♐ 22	⊻	✱	☌			∠	☌		
2	6 17	22 47	15 ℞ 12	18 10	1 55	18 22	26 51				✱	☍	⊻		☌	
3	6 19	22 48	15 8	18 24	2 36	19 37	28 20		□					⊻		☌
4	6 21	22 49	15 4	18 38	3 17	20 52	29 ♐ 50	●		⊻						
5	6 23	22 51	15 0	18 52	3 58	22 7	1 ♑ 20			∠	□	⚼	●	∠	⊻	
6	6 25	22 52	14 56	19 6	4 39	23 22	2 51		△	✱				✱	∠	⊻
7	6 26	22 53	14 52	19 20	5 20	24 37	4 22	⊻	⚼		△	△	⊻		✱	∠
8	6 28	22 54	14 48	19 34	6 1	25 52	5 54	∠		□	⚼		∠	□		✱
9	6 30	22 55	14 45	19 48	6 42	27 7	7 26	✱				□	✱			
10	6 32	22 56	14 41	20 2	7 23	28 22	8 59		☍						□	
11	6 34	22 57	14 38	20 16	8 4	29 ♐ 37	10 32			△		✱		△		□
12	6 35	22 58	14 34	20 30	8 45	0 ♑ 52	12 5	□		⚼	☍	∠	□	⚼	△	
13	6 37	22 59	14 31	20 44	9 26	2 7	13 39					⊻				△
14	6 39	22 59	14 28	20 58	10 7	3 22	15 13	△	⚼				△		⚼	⚼
15	6 40	23 0	14 25	21 12	10 49	4 38	16 48	⚼	△	☍	⚼	☌	⚼	☍		
16	6 42	23 1	14 22	21 26	11 30	5 53	18 23				△					
17	6 44	23 1	14 19	21 40	12 11	7 8	19 59		□			⊻			☍	
18	6 45	23 2	14 16	21 54	12 52	8 23	21 36	●☍		⚼	□	∠	☍	⚼		☍
19	6 47	23 2	14 13	22 8	13 33	9 38	23 13		✱	△		✱		△		
20	6 48	23 3	14 10	22 22	14 15	10 53	24 50		∠		✱				⚼	
21	6 50	23 3	14 8	22 36	14 56	12 8	26 28		⊻	□	∠		⚼			
22	6 51	23 3	14 5	22 50	15 37	13 23	28 7	⚼			⊻	□	△	□	△	⚼
23	6 53	23 3	14 3	23 4	16 19	14 38	29 ♑ 46	△	☌	✱						△
24	6 54	23 4	14 1	23 18	17 0	15 53	1 ♒ 26					△		✱	□	
25	6 56	23 4	13 58	23 32	17 41	17 8	3 6			∠	☌	⚼	□	∠		
26	6 57	23 4	13 56	23 46	18 23	18 23	4 47	□	⊻	∨						□
27	6 58	23 ℞ 4	13 54	24 0	19 4	19 38	6 29		∠		⊻		✱	⊻	✱	
28	7 0	23 4	13 53	24 13	19 46	20 53	8 11		✱	☌	∠				∠	
29	7 1	23 4	13 51	24 27	20 27	22 8	9 54	✱				☍	∠			✱
30	7 2	23 4	13 49	24 41	21 9	23 24	11 38	∠			✱		⊻	☌	⊻	∠
31	7 ♐ 3	23 ♎ 3	13 ♊ 48	24 ♑ 55	21 ♐ 50	24 ♑ 39	13 ♒ 23	⊻	□	⊻						⊻

D M	Neptune Lat.	Neptune Dec.	Herschel Lat.	Herschel Dec.	Saturn Lat.	Saturn Dec.	Jupiter Lat.	Jupiter Dec.	Mars Lat.	Mars Dec.	Mars Dec.
	° ′	° ′	° ′	° ′	° ′	° ′	° ′	° ′	° ′	° ′	° ′
1	1 N 36	19 S 55	0 N 38	8 S 22	1 S 30	20 N 58	0 S 14	21 S 20	0 S 6	23 S 20	23 S 23
3	1 36	19 55	0 38	8 22	1 29	20 58	0 14	21 15	0 8	23 26	23 28
5	1 36	19 56	0 38	8 22	1 29	20 59	0 14	21 10	0 9	23 31	23 33
7	1 36	19 56	0 38	8 21	1 28	20 59	0 14	21 5	0 11	23 35	23 37
9	1 36	19 56	0 39	8 21	1 28	20 59	0 14	21 0	0 12	23 38	23 39
11	1 36	19 56	0 39	8 20	1 27	21 0	0 15	20 55	0 14	23 40	23 41
13	1 36	19 56	0 39	8 19	1 27	21 0	0 15	20 50	0 16	23 42	23 43
15	1 37	19 57	0 39	8 18	1 26	21 1	0 15	20 45	0 17	23 43	23 43
17	1 37	19 57	0 39	8 18	1 26	21 1	0 15	20 40	0 19	23 43	23 42
19	1 37	19 57	0 39	8 17	1 25	21 2	0 16	20 35	0 21	23 42	23 41
21	1 37	19 57	0 39	8 16	1 25	21 3	0 16	20 30	0 23	23 40	23 39
23	1 37	19 57	0 39	8 15	1 24	21 3	0 16	20 25	0 25	23 37	23 S 35
25	1 37	19 57	0 39	8 13	1 24	21 4	0 16	20 19	0 26	23 33	—
26	1 37	19 57	0 39	8 13	1 24	21 4	0 17	20 17	0 27	23 31	—
27	1 37	19 57	0 39	8 12	1 23	21 5	0 17	20 14	0 28	23 29	—
28	1 N 37	19 S 57	0 N 39	8 S 11	1 S 23	21 N 5	0 S 17	20 S 12	0 S 29	23 S 26	

D M	D W	Sidereal Time	☉ Long.	☉ Dec.	☽ Long.	☽ Lat.	☽ Dec.	MIDNIGHT ☽ Long.	MIDNIGHT ☽ Dec.
		H. M. S.	° ′ ″	° ′	° ′ ″	° ′	° ′	° ′ ″	° ′
1	Th	20 46 12	12♒30 5	17 S 3	20♑45 8	0 N 22	21 S 29	26♑55 34	19 S 52
2	F	20 50 9	13 31 0	16 46	3♒ 9 31	1 29	18 1	9♒27 8	15 56
3	S	20 54 5	14 31 53	16 29	15 48 28	2 33	13 40	22 13 35	11 14
4	𝕾	20 58 2	15 32 45	16 11	28 42 26	3 30	8 38	5♓14 57	5 56
5	M	21 1 59	16 33 36	15 53	11♓51 1	4 17	3 S 9	18 30 30	0 S 19
6	Tu	21 5 55	17 34 25	15 34	25 13 12	4 51	2 N 33	1♈58 58	5 N 25
7	W	21 9 52	18 35 13	15 15	8♈47 35	5 9	8 13	15 38 51	10 57
8	Th	21 13 48	19 36 0	14 56	22 32 35	5 10	13 34	29 28 37	16 1
9	F	21 17 45	20 36 45	14 37	6♉26 45	4 53	18 17	13♉26 51	20 17
10	S	21 21 41	21 37 28	14 18	20 28 44	4 18	22 1	27 32 16	23 25
11	𝕾	21 25 38	22 38 10	13 58	4♊37 16	3 28	24 28	11♊43 32	25 7
12	M	21 29 34	23 38 50	13 38	18 50 51	2 24	25 22	25 58 58	25 11
13	Tu	21 33 31	24 39 29	13 18	3♋ 7 35	1 N 11	24 36	10♋16 19	23 35
14	W	21 37 28	25 40 6	12 58	17 24 47	0 S 6	22 13	24 32 31	20 29
15	Th	21 41 24	26 40 41	12 37	1♌39 0	1 22	18 27	8♌43 43	16 10
16	F	21 45 21	27 41 14	12 17	15 46 6	2 33	13 40	22 45 37	11 1
17	S	21 49 17	28 41 46	11 56	29 41 44	3 33	8 15	6♍33 56	5 N 24
18	𝕾	21 53 14	29♒42 16	11 35	13♍21 51	4 20	2 N 32	20 5 5	0 S 20
19	M	21 57 10	0♓42 45	11 13	26 43 25	4 51	3 S 9	3♎16 41	5 54
20	Tu	22 1 7	1 43 12	10 52	9♎44 51	5 7	8 33	16 7 58	11 5
21	W	22 5 3	2 43 38	10 30	22 26 12	5 6	13 28	28 39 48	15 40
22	Th	22 9 0	3 44 3	10 8	4♏49 9	4 51	17 42	10♏54 38	19 31
23	F	22 12 57	4 44 26	9 46	16 56 47	4 23	21 6	22 56 7	22 28
24	S	22 16 53	5 44 48	9 24	28 53 16	3 44	23 34	4♐48 50	24 24
25	𝕾	22 20 50	6 45 8	9 2	10♐43 29	2 56	24 58	16 37 53	25 15
26	M	22 24 46	7 45 27	8 40	22 32 42	2 0	25 14	28 28 36	24 56
27	Tu	22 28 43	8 45 44	8 17	4♑26 15	0 S 59	24 21	10♑26 15	23 29
28	W	22 32 39	9♓46 0	7 S 54	16♑29 11	0 N 5	22 S 20	22♑35 37	20 S 55

Full Moon—February 17*d.* 10*h.* 7*m.* *a.m.*

D M	Venus Lat. ° ′	Venus Dec. ° ′	Venus Dec. ° ′	Mercury Lat. ° ′	Mercury Dec. ° ′	Mercury Dec. ° ′	☽ Node ° ′
1	0 S 26	21 S 24	21 S 12	2 S 3	18 S 15	17 S 42	15 ♑ 35
3	0 31	20 59	20 46	1 59	17 7	16 31	15 28
5	0 36	20 32	20 18	1 53	15 53	15 14	15 22
7	0 40	20 3	19 47	1 45	14 34	13 52	15 16
9	0 44	19 31	19 14	1 34	13 8	12 24	15 9
11	0 48	18 57	18 39	1 21	11 39	10 52	15 3
13	0 52	18 20	18 1	1 5	10 5	9 17	14 57
15	0 56	17 42	17 22	0 46	8 28	7 39	14 50
17	1 0	17 1	16 40	0 25	6 50	6 1	14 44
19	1 3	16 19	15 57	0 S 1	5 13	4 25	14 38
21	1 6	15 35	15 12	0 N 26	3 37	2 52	14 31
23	1 9	14 49	14 S 25	0 54	2 8	1 S 26	14 25
25	1 12	14 1	—	1 23	0 47	—	14 19
26	1 13	13 37	—	1 38	0 S 10	—	14 15
27	1 15	13 12	—	1 53	0 N 23	—	14 12
28	1 S 16	12 S 47	—	2 N 7	0 N 53	—	14 ♑ 9

Mutual Aspects

1. ♀P♃.
2. ☉△ ♄. ♂✱ ♅
3. ☿Q♆, ⚼ ♇. ♀⚼ ♄, P♄.
5. ☉P ☿. ☿△ ♅.
6. ♀⊥ ♂.
7. ☿⊻ ♃. ♀P♆. ♂⊻ ♃.
8. ☉Q♆, ⚼ ♇. ☿✱ ♂, ± ♇, [P♇. ♀△ ♇.
9. ♃P♄. 10. ♀✱ ♆.
11. ☉△ ♅. ☿⊥♃.
12. ☉P♇. ☿∇♇.
13. ☿□ ♆. ♄ Stat.
14. ☿⚼ ♅.
15. ☿P♅. ♀△ ♄. 16. ☉±♇.
17. ☉⊻ ♃. ☿∠ ♃, □ ♄. ♂□ [♇, ♃⚼ ♄.
19. ☿Q ♂, ±♅. ♀⚼ ♇. ♂ [Q♅.
20. ♀Q♆.
22. ☉ ∇ ♇. ♀∠ ♂, △ ♅. ♂ [⊻ ♆.
23. ☿∇♅.
25. ☉⊥♃. ♀P♇.
26. ☉⚼ ♅, □ ♆. ♀±♇.
27. ☉P♅.

D M	♆ Long. ° ′	♅ Long. ° ′	♄ Long. ° ′	♃ Long. ° ′	♂ Long. ° ′	♀ Long. ° ′	☿ Long. ° ′	☉	♇	♆	♅	♄	♃	♂	♀	☿
								Lunar Aspects								
1	7 ♐ 5	23 ♎ 3	13 ♊ 46	25 ♑ 9	22 ♐ 32	25 ♑ 54	15 ♒ 8			∠	□		●	⊻	☌	
2	7 6	23 ℞ 3	13 ℞ 45	25 22	23 14	27 9	16 53		△	✱		⚼		∠		
3	7 7	23 2	13 44	25 36	23 55	28 24	18 39	☌	⚼			△				☌
4	7 8	23 2	13 43	25 50	24 37	29 ♑ 39	20 26				△		⊻	✱	⊻	
5	7 9	23 1	13 42	26 3	25 19	0 ♒ 54	22 13	⊻		□	⚼	□	∠		∠	
6	7 10	23 1	13 41	26 17	26 0	2 9	24 1						✱	□		⊻
7	7 11	23 0	13 40	26 30	26 42	3 24	25 49	∠	☍	△		✱			✱	∠
8	7 12	23 0	13 39	26 44	27 24	4 39	27 38	✱		⚼	☍	∠	□	△		✱
9	7 13	22 59	13 39	26 57	28 5	5 54	29 ♒ 26							⚼	□	
10	7 14	22 58	13 39	27 11	28 47	7 9	1 ♓ 15	□	⚼			⊻	△			
11	7 15	22 57	13 38	27 24	29 ♐ 29	8 24	3 3		△	☍	⚼				△	□
12	7 16	22 57	13 38	27 38	0 ♑ 11	9 39	4 51	△			△	☌	⚼		⚼	
13	7 17	22 56	13 38	27 51	0 53	10 54	6 38	⚼	□					☍		△
14	7 17	22 55	13 D 38	28 4	1 34	12 9	8 25			⚼	□	⊻				⚼
15	7 18	22 54	13 38	28 17	2 16	13 24	10 10		✱	△		∠	☍			
16	7 19	22 53	13 38	28 31	2 58	14 39	11 53		∠			✱		⚼	☍	
17	7 20	22 51	13 39	28 44	3 40	15 54	13 35	☍	⊻		✱			△		
18	7 20	22 50	13 39	28 57	4 22	17 9	15 14			□	∠	□	⚼			☍
19	7 21	22 49	13 40	29 10	5 4	18 24	16 50				⊻		△			
20	7 21	22 48	13 41	29 23	5 46	19 39	18 23		☌	✱		△		□	⚼	
21	7 22	22 46	13 42	29 36	6 28	20 54	19 51	⚼		∠	☌				△	
22	7 23	22 45	13 43	29 ♑ 49	7 10	22 9	21 14	△	⊻	⊻		⚼	□	✱		⚼
23	7 23	22 44	13 44	0 ♒ 1	7 52	23 24	22 32		∠		⊻					
24	7 23	22 42	13 45	0 14	8 34	24 39	23 45		✱				✱	∠	□	△
25	7 24	22 40	13 46	0 27	9 16	25 54	24 50	□		☌	∠	☍	∠	⊻		
26	7 24	22 39	13 47	0 39	9 58	27 9	25 48				✱				✱	□
27	7 25	22 38	13 49	0 52	10 40	28 24	26 38	✱	□	⊻			⊻			
28	7 ♐ 25	22 ♎ 36	13 ♊ 51	1 ♒ 5	11 ♑ 23	29 ♒ 39	27 ♓ 20			∠	□			●	∠	

Last Quarter—February 25*d.* 3*h.* 12*m.* *a.m.*

NEW MOON—March 5*d.* 0*h.* 8*m.* *a.m.*

D M	Neptune Lat.	Neptune Dec.	Herschel Lat.	Herschel Dec.	Saturn Lat.	Saturn Dec.	Jupiter Lat.	Jupiter Dec.	Mars Lat.	Mars Dec.	Mars Dec.
	° ′	° ′	° ′	° ′	° ′	° ′	° ′	° ′	° ′	° ′	° ′
1	1N37	19S57	0N39	8S11	1S23	21N 6	0S17	20S 9	0S30	23S24	23S21
3	1 37	19 57	0 39	8 10	1 22	21 7	0 17	20 4	0 32	23 17	23 14
5	1 37	19 57	0 39	8 8	1 22	21 8	0 17	19 59	0 34	23 10	23 7
7	1 38	19 57	0 39	8 7	1 22	21 9	0 18	19 53	0 36	23 3	22 58
9	1 38	19 57	0 39	8 5	1 21	21 10	0 18	19 48	0 38	22 54	22 49
11	1 38	19 57	0 39	8 4	1 21	21 11	0 18	19 43	0 40	22 44	22 39
13	1 38	19 57	0 39	8 2	1 20	21 12	0 18	19 38	0 42	22 34	22 28
15	1 38	19 57	0 39	8 1	1 20	21 13	0 19	19 33	0 44	22 23	22 17
17	1 38	19 56	0 39	7 59	1 19	21 15	0 19	19 28	0 46	22 11	22 4
19	1 38	19 56	0 39	7 57	1 19	21 16	0 19	19 23	0 48	21 58	21 51
21	1 38	19 56	0 39	7 56	1 18	21 17	0 19	19 18	0 50	21 44	21 37
23	1 38	19 56	0 39	7 54	1 18	21 18	0 20	19 13	0 52	21 30	21 22
25	1 38	19 55	0 39	7 52	1 18	21 19	0 20	19 8	0 55	21 15	21 7
27	1 38	19 55	0 39	7 50	1 17	21 21	0 20	19 3	0 57	20 59	20 51
29	1 39	19 55	0 39	7 48	1 17	21 22	0 21	18 59	0 59	20 42	20S34
31	1N39	19S55	0N39	7S46	1S16	21N24	0S21	18S54	1S 1	20S25	

D M	D W	Sidereal Time	☉ Long.	☉ Dec.	☽ Long.	☽ Lat.	☽ Dec.	MIDNIGHT ☽ Long.	MIDNIGHT ☽ Dec.
		H. M. S.	° ′ ″	° ′	° ′ ″	° ′	° ′	° ′ ″	° ′
1	Th	22 36 36	10♓46 15	7S32	28♑46 0	1N11	19S15	5♒ 0 46	17S21
2	F	22 40 32	11 46 27	7 9	11♒20 14	2 14	15 14	17 44 38	12 55
3	S	22 44 29	12 46 38	6 46	24 14 7	3 12	10 25	0♓48 40	7 47
4	𝕾	22 48 26	13 46 48	6 23	7♓28 15	4 1	5S 2	14 12 37	2S12
5	M	22 52 22	14 46 55	6 0	21 1 30	4 38	0N42	27 54 29	3N37
6	Tu	22 56 19	15 47 1	5 36	4♈51 5	5 59	6 30	11♈50 46	9 20
7	W	23 0 15	16 47 4	5 13	18 52 58	5 3	12 4	25 57 5	14 39
8	Th	23 4 12	17 47 6	4 50	3♉ 2 33	4 48	17 2	10♉ 8 49	19 12
9	F	23 8 8	18 47 5	4 26	17 15 24	4 16	21 4	24 21 53	22 38
10	S	23 12 5	19 47 2	4 3	1♊27 54	3 28	23 51	8♊33 10	24 40
11	𝕾	23 16 1	20 46 57	3 39	15 37 29	2 27	25 6	22 40 41	25 7
12	M	23 19 58	21 46 50	3 16	29 42 40	1 17	24 44	6♋43 21	23 57
13	Tu	23 23 55	22 46 41	2 52	13♋42 40	0N 3	22 48	20 40 33	21 18
14	W	23 27 51	23 46 29	2 28	27 36 55	1S10	19 30	4♌31 40	17 26
15	Th	23 31 48	24 46 15	2 5	11♌24 40	2 18	15 8	18 15 44	12 40
16	F	23 35 44	25 45 59	1 41	25 4 39	3 18	10 3	1♍51 12	7 20
17	S	23 39 41	26 45 41	1 17	8♍35 6	4 6	4N33	15 16 4	1N44
18	𝕾	23 43 37	27 45 21	0 54	21 53 51	4 39	1S 4	28 28 12	3S50
19	M	23 47 34	28 44 58	0 30	4♎58 54	4 58	6 32	11♎25 47	9 8
20	Tu	23 51 30	29♓44 33	0S 6	17 48 44	5 0	11 37	24 7 44	13 56
21	W	23 55 27	0♈44 7	0N18	0♏22 48	4 48	16 6	6♏34 5	18 4
22	Th	23 59 23	1 43 39	0 41	12 41 45	4 22	19 49	18 46 7	21 20
23	F	0 3 20	2 43 9	1 5	24 47 30	3 45	22 37	0♐46 22	23 38
24	S	0 7 17	3 42 37	1 29	6♐43 10	2 59	24 22	12 38 29	24 50
25	𝕾	0 11 13	4 42 3	1 52	18 32 53	2 5	25 1	24 27 1	24 55
26	M	0 15 10	5 41 28	2 16	0♑21 32	1 5	24 32	6♑17 7	23 52
27	Tu	0 19 6	6 40 51	2 39	12 14 28	0S 3	22 56	18 14 18	21 44
28	W	0 23 3	7 40 12	3 3	24 17 16	1N 1	20 16	0♒24 3	18 34
29	Th	0 26 59	8 39 31	3 26	6♒35 15	2 2	16 39	12 51 27	14 32
30	F	0 30 56	9 38 48	3 49	19 13 8	3 0	12 13	25 40 41	9 44
31	S	0 34 52	10♈38 4	4N13	2♓14 23	3N50	7S 6	8♓54 23	4S21

FIRST QUARTER—March 11*d.* 9*h.* 26*m.* *p.m.*

FULL MOON—March 18*d.* 11*h.* 34*m.* *p.m.*

D M	Venus Lat.	Venus Dec.	Venus Dec.	Mercury Lat.	Mercury Dec.	Mercury Dec.	☽ Node
	° ′	° ′	° ′	° ′	° ′	° ′	° ′
1	1 S 17	12 S 21	11 S 56	2N 21	1N 19	1N 40	14♑ 6
3	1 19	11 30	11 3	2 47	1 58	2 10	13 59
5	1 21	10 36	10 9	3 9	2 18	2 21	13 53
7	1 22	9 42	9 15	3 26	2 20	2 13	13 47
9	1 24	8 47	8 19	3 36	2 2	1 47	13 40
11	1 25	7 51	7 22	3 38	1 28	1 5	13 34
13	1 26	6 53	6 25	3 32	0N 39	0N 11	13 28
15	1 26	5 56	5 27	3 19	0 S 19	0 S 49	13 21
17	1 26	4 57	4 28	2 57	1 21	1 52	13 15
19	1 26	3 58	3 29	2 33	2 22	2 52	13 9
21	1 26	2 59	2 29	2 5	3 20	3 46	13 2
23	1 26	1 59	1 29	1 34	4 10	4 32	12 56
25	1 25	0 S 59	0 S 29	1 4	4 52	5 9	12 50
27	1 24	0N 1	0N 31	0 34	5 23	5 35	12 43
29	1 23	1 2	1N 32	0N 5	5 45	5 S 52	12 37
31	1 S 21	2N 2		0 S 22	5 S 57		12♑30

Mutual Aspects

1. ♀⊻♃.
3. ♀∇♇. ♂⊥♆.
4. ☉□♄. ☿Stat. ♂∇♄.
5. ☉✱♂. [∠♆.
6. ♀⚼♅, □♆. ♃P♆. ♅
7. ☉±♅. ☿Q♂, ♀⊥♃.
8. ☉∠♃. 9. ♆Stat.
11. ♀P♅.
12. ☉∇♅. ♀□♄. ♃△♇.
13. ☉☌☿. ♀±♅. ♂±♄.
14. ☿∇♅.
15. ☿✱♂. ♂□♅.
16. ☿☌♀. ♀∠♃. ♂∠♆.
17. ☉P☿. ☿∠♃.
18. ♀∇♅. 21. ☿P♀.
22. ♀✱♂.
23. ☉Q♄, ☍♇. ☿±♅.
24. ☉P♀. ♂P♄.
25. ☿□♄.
26. ☉✱♃. ☿∠♂.
27. ☿Stat. ♀Q♄, ☍♇. ♂
28. ☉△♆. [⚼♄.
30. ☿□♄, ±♅. ♀✱♃, △♆.
[♂△♇.

D M	♆ Long.	♅ Long.	♄ Long.	♃ Long.	♂ Long.	♀ Long.	☿ Long.	☉	♇	♆	♅	♄	♃	♂	♀	☿
	° ′	° ′	° ′	° ′	° ′	° ′	° ′									
1	7 ♐ 25	22♎34	13♊ 52	1♒17	12♑ 5	0 ♓ 54	27♓ 52	∠	△			⚼	☌		⊻	✱
2	7 26	22 ℞ 33	13 54	1 29	12 47	2 9	28 16	⊻		✱		△		⊻		∠
3	7 26	22 31	13 56	1 42	13 29	3 24	28 30		⚼		△			∠		⊻
4	7 26	22 29	13 58	1 54	14 11	4 39	28 36			□	⚼	□	⊻		☌	
5	7 26	22 27	14 0	2 6	14 54	5 53	28 ℞ 31	☌					∠	✱		
6	7 26	22 25	14 3	2 18	15 36	7 8	28 18		☍	△			✱		⊻	☌
7	7 26	22 24	14 5	2 30	16 18	8 23	27 56	⊻		⚼	☍	✱		□	∠	
8	7 26	22 22	14 7	2 42	17 0	9 38	27 26	∠				∠	□			⊻
9	7 26	22 20	14 10	2 54	17 43	10 53	26 49	✱	⚼			⊻		△	✱	∠
10	7 ℞ 26	22 18	14 13	3 6	18 25	12 8	26 5		△	☍	⚼		△	⚼		✱
11	7 26	22 16	14 16	3 17	19 7	13 22	25 16	□			△	☌	⚼		□	
12	7 26	22 14	14 18	3 29	19 50	14 37	24 23		□							□
13	7 26	22 11	14 21	3 40	20 32	15 52	23 27					⊻			△	
14	7 26	22 9	14 25	3 52	21 14	17 7	22 30	△	✱	⚼	□	∠	☍	☍	⚼	△
15	7 26	22 7	14 28	4 3	21 57	18 21	21 32	⚼		△		✱				⚼
16	7 26	22 5	14 31	4 14	22 39	19 36	20 35		∠		✱					
17	7 25	22 3	14 34	4 25	23 22	20 51	19 41		⊻	□	∠	□		⚼		
18	7 25	22 0	14 38	4 36	24 4	22 5	18 50	☍			⊻		⚼	△	☍	☍
19	7 25	21 58	14 42	4 47	24 47	23 20	18 2		☌	✱			△			
20	7 24	21 56	14 45	4 58	25 29	24 35	17 20			∠	☌	△				
21	7 24	21 53	14 49	5 9	26 12	25 49	16 42		⊻			⚼	□	□		⚼
22	7 24	21 51	14 53	5 19	26 54	27 4	16 10	⚼	∠	⊻					⚼	△
23	7 23	21 49	14 57	5 30	27 37	28 19	15 45				⊻			✱	△	
24	7 23	21 46	15 1	5 41	28 19	29♓33	15 25	△	✱	☌	∠		✱			
25	7 22	21 44	15 5	5 51	29 2	0♈48	15 11				✱	☍	∠	∠		□
26	7 22	21 41	15 9	6 1	29♑44	2 3	15 3	□	□				⊻	⊻	□	
27	7 21	21 39	15 14	6 12	0♒27	3 17	15 D 1			⊻						✱
28	7 21	21 37	15 18	6 22	1 9	4 32	15 5			∠	□	⚼				∠
29	7 20	21 34	15 23	6 32	1 52	5 46	15 14	✱	△	✱			☌	☌	✱	
30	7 19	21 32	15 27	6 41	2 34	7 1	15 28	∠	⚼		△	△			∠	⊻
31	7 ♐ 19	21♎29	15♊ 32	6♒51	3♒17	8♈ 15	15♓ 48			□	⚼		⊻	⊻	⊻	

LAST QUARTER—March 26*d.* 11*h.* 47*m.* *p.m.*

New Moon—April 3*d.* 11*h.* 46*m.* *a.m.*

D M	Neptune Lat.	Neptune Dec.	Herschel Lat.	Herschel Dec.	Saturn Lat.	Saturn Dec.	Jupiter Lat.	Jupiter Dec.	Mars Lat.	Mars Dec.	Mars Dec.
	° ′	° ′	° ′	° ′	° ′	° ′	° ′	° ′	° ′	° ′	° ′
1	1 N 39	19 S 54	0 N 39	7 S 45	1 S 16	21 N 24	0 S 21	18 S 52	1 S 2	20 S 16	20 S 7
3	1 39	19 54	0 39	7 44	1 16	21 26	0 21	18 47	1 5	19 58	19 48
5	1 39	19 54	0 39	7 42	1 15	21 27	0 22	18 43	1 7	19 39	19 29
7	1 39	19 53	0 39	7 40	1 15	21 29	0 22	18 39	1 9	19 19	19 9
9	1 39	19 53	0 39	7 38	1 15	21 30	0 22	18 34	1 11	18 59	18 48
11	1 39	19 53	0 39	7 36	1 14	21 32	0 23	18 30	1 14	18 38	18 27
13	1 39	19 52	0 39	7 34	1 14	21 33	0 23	18 26	1 16	18 16	18 5
15	1 39	19 52	0 39	7 32	1 13	21 35	0 23	18 23	1 18	17 54	17 43
17	1 39	19 51	0 39	7 30	1 13	21 36	0 24	18 19	1 21	17 31	17 20
19	1 39	19 51	0 39	7 28	1 13	21 37	0 24	18 15	1 23	17 8	16 56
21	1 39	19 50	0 39	7 26	1 12	21 39	0 25	18 12	1 26	16 44	16 32
23	1 40	19 50	0 39	7 25	1 12	21 40	0 25	18 9	1 28	16 20	16 7
25	1 40	19 49	0 39	7 23	1 12	21 42	0 25	18 6	1 31	15 55	15 42
27	1 40	19 49	0 39	7 21	1 12	21 43	0 26	18 3	1 33	15 30	15 S 17
29	1 40	19 48	0 39	7 19	1 11	21 45	0 26	18 0	1 35	15 4	—
30	1 N 40	19 S 48	0 N 39	7 S 18	1 S 11	21 N 46	0 S 26	17 S 58	1 S 37	14 S 51	

D M	D W	Sidereal Time	☉ Long.	☉ Dec.	☽ Long.	☽ Lat.	☽ Dec.	MIDNIGHT ☽ Long	MIDNIGHT ☽ Dec.
		H. M. S.	° ′ ″	° ′	° ′ ″	° ′	° ′	° ′ ″	° ′
1	𝕾	0 38 49	11 ♈ 37 17	4 N 36	15 ♓ 40 42	4 N 29	1 S 31	22 ♓ 33 11	1 N 23
2	M	0 42 46	12 36 29	4 59	29 31 29	4 53	4 N 18	6 ♈ 35 10	7 11
3	Tu	0 46 42	13 35 39	5 22	13 ♈ 43 34	5 0	10 1	20 55 58	12 45
4	W	0 50 39	14 34 46	5 45	28 11 28	4 48	15 19	5 ♉ 29 12	17 41
5	Th	0 54 35	15 33 52	6 8	12 ♉ 48 12	4 18	19 46	20 7 33	21 34
6	F	0 58 32	16 32 55	6 30	27 26 24	3 30	23 0	4 ♊ 43 58	24 3
7	S	1 2 28	17 31 57	6 53	11 ♊ 59 37	2 29	24 41	19 12 47	24 55
8	𝕾	1 6 25	18 30 56	7 16	26 23 4	1 19	24 42	3 ♋ 30 11	24 6
9	M	1 10 21	19 29 52	7 38	10 ♋ 33 58	0 N 5	23 6	17 34 19	21 45
10	Tu	1 14 18	20 28 47	8 0	24 31 16	1 S 9	20 6	1 ♌ 24 50	18 10
11	W	1 18 15	21 27 39	8 22	8 ♌ 15 7	2 17	16 0	15 2 13	13 39
12	Th	1 22 11	22 26 28	8 44	21 46 14	3 16	11 9	28 27 16	8 33
13	F	1 26 8	23 25 16	9 6	5 ♍ 5 23	4 4	5 52	11 ♍ 40 39	3 N 8
14	S	1 30 4	24 24 1	9 28	18 13 3	4 38	0 N 24	24 42 38	2 S 19
15	𝕾	1 34 1	25 22 44	9 49	1 ♎ 9 20	4 57	5 S 0	7 ♎ 33 9	7 36
16	M	1 37 57	26 21 25	10 10	13 54 3	5 1	10 6	20 11 58	12 29
17	Tu	1 41 54	27 20 3	10 32	26 26 56	4 50	14 42	2 ♏ 38 56	16 46
18	W	1 45 50	28 18 40	10 53	8 ♏ 48 2	4 25	18 37	14 54 20	20 16
19	Th	1 49 47	29 ♈ 17 15	11 13	20 57 58	3 49	21 41	26 59 7	22 51
20	F	1 53 44	0 ♉ 15 49	11 34	2 ♐ 58 4	3 3	23 45	8 ♐ 55 7	24 22
21	S	1 57 40	1 14 20	11 54	14 50 37	2 9	24 43	20 45 2	24 47
22	𝕾	2 1 37	2 12 50	12 15	26 38 48	1 10	24 34	2 ♑ 32 29	24 4
23	M	2 5 33	3 11 18	12 35	8 ♑ 26 38	0 S 8	23 18	14 21 52	22 16
24	Tu	2 9 30	4 9 45	12 55	20 18 49	0 N 55	21 0	26 18 9	19 29
25	W	2 13 26	5 8 10	13 14	2 ♒ 20 33	1 57	17 44	8 ♒ 26 40	15 48
26	Th	2 17 23	6 6 33	13 34	14 37 11	2 55	13 40	20 52 44	11 22
27	F	2 21 19	7 4 54	13 53	27 13 54	3 45	8 54	3 ♓ 41 11	6 19
28	S	2 25 16	8 3 14	14 12	10 ♓ 15 2	4 26	3 S 37	16 55 46	0 S 50
29	𝕾	2 29 13	9 1 33	14 30	23 43 31	4 53	2 N 0	0 ♈ 38 20	4 N 52
30	M	2 33 9	9 ♉ 59 50	14 N 49	7 ♈ 40 2	5 N 5	7 N 42	14 ♈ 48 16	10 N 30

First Quarter—April 10*d.* 4*h.* 29*m.* *a.m.*

D M	Venus Lat. ° ′	Venus Dec. ° ′	Venus Dec. ° ′	Mercury Lat. ° ′	Mercury Dec. ° ′	Mercury Dec. ° ′	☽ Node ° ′
1	1 S 21	2N 32	3N 2	0 S 34	5 S 58	5 S 58	12♑27
3	1 19	3 32	4 2	0 58	5 56	5 51	12 21
5	1 17	4 31	5 1	1 19	5 45	5 36	12 15
7	1 14	5 31	6 0	1 38	5 25	5 13	12 8
9	1 12	6 30	6 59	1 54	4 58	4 42	12 2
11	1 9	7 28	7 57	2 8	4 25	4 5	11 56
13	1 6	8 26	8 54	2 20	3 44	3 21	11 49
15	1 3	9 22	9 50	2 29	2 57	2 32	11 43
17	1 0	10 18	10 46	2 36	2 5	1 36	11 36
19	0 56	11 13	11 40	2 41	1 7	0 S 36	11 30
21	0 53	12 7	12 34	2 43	0 S 4	0N 30	11 24
23	0 49	13 0	13 26	2 43	1N 4	1 40	11 17
25	0 45	13 52	14 17	2 41	2 17	2 54	11 11
27	0 41	14 42	15 N 6	2 37	3 33	4N 13	11 5
29	0 36	15 31	—	2 31	4 53	—	10 58
30	0 S 34	15N 54		2 S 27	5N 34		10♑55

Mutual Aspects

3. ♂P♆. ♃✱♆.
4. ☉P☿. 5. ☉✱♄.
6. ♀✱♄. ♂☌♃, ✱♆.
7. ☿P♀. 8. ☿▽♅.
9. ☉☌♀, P♅.
10. ☉Q♃. ♀Q♃, ♂☍♅.
11. ☉☍♅. ☿∠♃. ♀P♅, ⚼♆.
12. ☉⚼♆. ♂P♃.
13. ♀Q♂. 16. ☿∠♂.
17. ☉Q♂.
18. ☿☍♇. ♀±♆.
19. ☉P♀. ♀∠♄, ▽♇.
20. ☿Q♄. ♂△♄, ⚼♇.
21. ☉±♆.
22. ☉∠♄, ▽♇. ☿△♆. ♂Q♆.
23. ♀▽♆.
24. ☿✱♃. ♀±♇. ♂△♅.
26. ♀□♃.
27. ☉▽♆. ♀⊥♄, P♇.
28. ☉±♇. ♀P♂.
29. ☉P♇. ☿✱♄.
30. ☉P♂. ☿☍♅.

D M	♆ Long. ° ′	♅ Long. ° ′	♄ Long. ° ′	♃ Long. ° ′	♂ Long. ° ′	♀ Long. ° ′	☿ Long. ° ′	☉	♇	♆	♅	♄	♃	♂	♀	☿
1	7♐18	21♎27	15♊36	7♒ 1	4♒ 0	9♈30	16♓12	⊻				□	∠	∠		☌
2	7℞17	21℞24	15 41	7 10	4 42	10 44	16 41		☍					✱		
3	7 16	21 21	15 46	7 20	5 25	11 59	17 14	☌		△		✱	✱		☌	⊻
4	7 16	21 19	15 51	7 29	6 7	13 13	17 51			⚼	☍	∠				∠
5	7 15	21 16	15 56	7 38	6 50	14 28	18 33	⊻	⚼			⊻	□	□	⊻	✱
6	7 14	21 14	16 1	7 47	7 33	15 42	19 17	∠	△						∠	
7	7 13	21 11	16 7	7 56	8 15	16 56	20 6	✱		☍	⚼	☌	△	△	✱	
8	7 12	21 9	16 12	8 5	8 58	18 11	20 57		□		△		⚼	⚼		□
9	7 11	21 6	16 17	8 13	9 40	19 25	21 52					⊻				
10	7 10	21 3	16 23	8 22	10 23	20 40	22 50	□		⚼	□				□	△
11	7 9	21 1	16 28	8 30	11 6	21 54	23 50		✱	△		∠	☍	☍		⚼
12	7 8	20 58	16 34	8 38	11 48	23 8	24 53	△	∠		✱	✱			△	
13	7 7	20 56	16 40	8 46	12 31	24 23	25 59	⚼	⊻	□	∠				⚼	
14	7 6	20 53	16 45	8 54	13 13	25 37	27 8				⊻	□	⚼			
15	7 5	20 51	16 51	9 2	13 56	26 51	28 18		☌	✱				⚼		☍
16	7 4	20 48	16 57	9 10	14 39	28 5	29♓31					△	△	△		
17	7 3	20 46	17 3	9 17	15 21	29♈20	0♈46	☍	⊻	∠	☌	⚼			☍	
18	7 2	20 43	17 9	9 25	16 4	0♉34	2 4			⊻			□			
19	7 0	20 40	17 15	9 32	16 47	1 48	3 23		∠		⊻			□		⚼
20	6 59	20 38	17 21	9 39	17 29	3 2	4 44		✱	☌	∠					△
21	6 58	20 35	17 27	9 46	18 12	4 16	6 8	⚼			✱	☍	✱	✱	⚼	
22	6 57	20 33	17 33	9 53	18 54	5 30	7 33		□				∠			
23	6 55	20 30	17 40	10 0	19 37	6 45	9 1	△		⊻			⊻	∠	△	□
24	6 54	20 28	17 46	10 6	20 19	7 59	10 30			∠	□			⊻		
25	6 53	20 25	17 52	10 13	21 2	9 13	12 1	□	△	✱		⚼				
26	6 52	20 23	17 59	10 19	21 45	10 27	13 34		⚼		∧	△	☌		□	✱
27	6 50	20 20	18 5	10 25	22 27	11 41	15 8							☌		∠
28	6 49	20 18	18 12	10 31	23 10	12 55	16 45	✱		□	⚼		⊻		✱	
29	6 47	20 16	18 19	10 36	23 52	14 9	18 23	∠				□	∠	⊻	∠	⊻
30	6♐46	20♎13	18♊25	10♒42	24♒35	15♉23	20♈ 3	⊻	☍	△			✱	∠		

New Moon—May 2*d*. 8*h*. 56*m*. *p.m.*

D M	Neptune Lat. ° ′	Neptune Dec. ° ′	Herschel Lat. ° ′	Herschel Dec. ° ′	Saturn Lat. ° ′	Saturn Dec. ° ′	Jupiter Lat. ° ′	Jupiter Dec. ° ′	Mars Lat. ° ′	Mars Dec. ° ′	Mars Dec. ° ′
1	1 N 40	19 S 48	0 N 39	7 S 17	1 S 11	21 N 46	0 S 26	17 S 57	1 S 38	14 S 38	14 S 25
3	1 40	19 47	0 39	7 16	1 11	21 48	0 27	17 55	1 40	14 11	13 58
5	1 40	19 47	0 39	7 14	1 10	21 49	0 27	17 52	1 43	13 44	13 31
7	1 40	19 46	0 39	7 12	1 10	21 51	0 28	17 50	1 45	13 17	13 3
9	1 40	19 46	0 39	7 11	1 10	21 52	0 28	17 49	1 48	12 49	12 35
11	1 40	19 45	0 39	7 9	1 9	21 53	0 28	17 47	1 50	12 21	12 7
13	1 40	19 45	0 39	7 8	1 9	21 55	0 29	17 45	1 53	11 53	11 39
15	1 40	19 44	0 39	7 6	1 9	21 56	0 29	17 44	1 55	11 25	11 10
17	1 40	19 44	0 38	7 5	1 9	21 57	0 30	17 43	1 58	10 56	10 41
19	1 40	19 43	0 38	7 3	1 8	21 59	0 30	17 42	2 0	10 27	10 12
21	1 40	19 43	0 38	7 2	1 8	22 0	0 31	17 41	2 3	9 58	9 43
23	1 40	19 42	0 38	7 1	1 8	22 1	0 31	17 41	2 5	9 28	9 14
25	1 40	19 41	0 38	7 0	1 8	22 2	0 31	17 41	2 8	8 59	8 44
27	1 40	19 41	0 38	6 59	1 7	22 4	0 32	17 40	2 10	8 29	8 14
29	1 40	19 40	0 38	6 58	1 7	22 5	0 32	17 41	2 13	7 59	7 S 44
31	1 N 40	19 S 40	0 N 38	6 S 57	1 S 7	22 N 6	0 S 33	17 S 41	2 S 15	7 S 29	

D M	D W	Sidereal Time H. M. S.	☉ Long. ° ′ ″	☉ Dec. ° ′	☽ Long. ° ′ ″	☽ Lat. ° ′	☽ Dec. ° ′	MIDNIGHT ☽ Long. ° ′ ″	MIDNIGHT ☽ Dec. ° ′
1	Tu	2 37 6	10 ♉ 58 5	15 N 7	22 ♈ 2 27	4 N 58	13 N 11	29 ♈ 21 53	15 N 43
2	W	2 41 2	11 56 19	15 25	6 ♉ 45 39	4 31	18 2	14 ♉ 12 43	20 5
3	Th	2 44 59	12 54 31	15 43	21 41 58	3 45	21 49	29 12 13	23 11
4	F	2 48 55	13 52 41	16 0	6 ♊ 42 19	2 44	24 8	14 ♊ 11 12	24 38
5	S	2 52 52	14 50 50	16 18	21 37 51	1 32	24 42	29 1 24	24 19
6	𝔖	2 56 48	15 48 57	16 35	6 ♋ 21 8	0 N 14	23 31	13 ♋ 36 32	22 20
7	M	3 0 45	16 47 2	16 51	20 47 10	1 S 3	20 47	27 52 49	18 57
8	Tu	3 4 42	17 45 4	17 8	4 ♌ 53 21	2 15	16 52	11 ♌ 48 47	14 34
9	W	3 8 38	18 43 5	17 24	18 39 12	3 17	12 7	25 24 46	9 32
10	Th	3 12 35	19 41 4	17 40	2 ♍ 5 40	4 7	6 53	8 ♍ 42 10	4 N 11
11	F	3 16 31	20 39 1	17 55	15 14 30	4 42	1 N 28	21 42 55	1 S 14
12	S	3 20 28	21 36 56	18 10	28 7 41	5 3	3 S 53	4 ♎ 29 1	6 29
13	𝔖	3 24 24	22 34 50	18 25	10 ♎ 47 9	5 8	8 59	17 2 18	11 23
14	M	3 28 21	23 32 41	18 40	23 14 38	4 59	13 39	29 24 19	15 45
15	Tu	3 32 17	24 30 31	18 54	5 ♏ 31 33	4 35	17 41	11 ♏ 36 28	19 25
16	W	3 36 14	25 28 20	19 8	17 39 15	3 59	20 55	23 40 3	22 12
17	Th	3 40 11	26 26 7	19 22	29 39 4	3 13	23 13	5 ♐ 36 30	23 59
18	F	3 44 7	27 23 53	19 35	11 ♐ 32 35	2 19	24 28	17 27 34	24 40
19	S	3 48 4	28 21 38	19 48	23 21 46	1 19	24 36	29 15 30	24 14
20	𝔖	3 52 0	29 ♉ 19 21	20 1	5 ♑ 9 7	0 S 16	23 36	11 ♑ 3 3	22 43
21	M	3 55 57	0 ♊ 17 3	20 13	16 57 44	0 N 48	21 34	22 53 38	20 11
22	Tu	3 59 53	1 14 44	20 25	28 51 17	1 51	18 35	4 ♒ 51 14	16 46
23	W	4 3 50	2 12 23	20 36	10 ♒ 54 2	2 50	14 47	17 0 16	12 37
24	Th	4 7 46	3 10 2	20 48	23 10 33	3 42	10 18	29 25 26	7 51
25	F	4 11 43	4 7 40	20 59	5 ♓ 45 32	4 25	5 S 18	12 ♓ 11 20	2 S 39
26	S	4 15 40	5 5 17	21 9	18 43 20	4 55	0 N 4	25 21 55	2 N 50
27	𝔖	4 19 36	6 2 52	21 19	2 ♈ 7 23	5 11	5 36	8 ♈ 59 55	8 22
28	M	4 23 33	7 0 27	21 29	15 59 31	5 10	11 3	23 6 2	13 39
29	Tu	4 27 29	7 58 1	21 38	0 ♉ 19 9	4 50	16 6	7 ♉ 38 20	18 21
30	W	4 31 26	8 55 35	21 48	15 2 51	4 10	20 20	22 31 50	22 0
31	Th	4 35 22	9 ♊ 53 7	21 N 56	0 ♊ 4 14	3 N 12	23 N 18	7 ♊ 38 53	24 N 11

First Quarter—May 9*d*. 0*h*. 7*m*. *p.m.*

FULL MOON—May 17*d.* 4*h.* 59*m.* *a.m.*

D M	Venus Lat. ° ′	Venus Dec. ° ′	Venus Dec. ° ′	Mercury Lat. ° ′	Mercury Dec. ° ′	Mercury Dec. ° ′	☽ Node ° ′
1	0 S 32	16N 18	16N 41	2 S 22	6N 17	7N 0	10♑52
3	0 27	17 3	17 25	2 12	7 43	8 28	10 46
5	0 23	17 47	18 8	1 59	9 12	9 58	10 39
7	0 18	18 29	18 49	1 45	10 44	11 30	10 33
9	0 14	19 9	19 28	1 29	12 16	13 3	10 27
11	0 9	19 47	20 5	1 11	13 49	14 36	10 20
13	0 S 4	20 23	20 40	0 52	15 22	16 8	10 14
15	0N 1	20 56	21 12	0 32	16 53	17 37	10 8
17	0 6	21 28	21 42	0 S 11	18 21	19 3	10 1
19	0 11	21 57	22 10	0N 10	19 44	20 23	9 55
21	0 15	22 23	22 35	0 31	21 1	21 36	9 48
23	0 20	22 47	22 58	0 51	22 10	22 41	9 42
25	0 25	23 8	23 18	1 9	23 9	23 36	9 36
27	0 30	23 27	23 35	1 26	23 59	24 19	9 29
29	0 35	23 43	23N 50	1 39	24 38	24N 53	9 23
31	0N 39	23N 56		1N 51	25N 6		9♑17

Mutual Aspects

1. ☉□♃. ☿⚼Ψ. ♀⚼♇. ♂
2. ☿Q♃, P♅. ♂±♇. [P♇.
3. ☉⊥♄. ♀⊻♄.
4. ☿✱♂. ♀▽♅. 5. ♀P♃.
6. ☿±Ψ. 7. ☉⚼♇. ☿▽♇.
8. ☿∠♄. 9. ☿▽Ψ. ♀±♅.
10. ☉P♃, ⊻♄, ▽♅. ☿P♂,
11. ♀PΨ. [±♇. ♂▽♇.
12. ☿□♃, P♇. ♄△♅.
13. ☿⊥♄. ♀△♇.
14. ☿Q♂, ⚼♇. ♂⚼♅.
15. ☿▽♅. [⚼♅.
16. ☉±♅. ☿P♃, ⊻♄. ♀.
17. ♀□♂, ☍Ψ. ♂□Ψ.
18. ☿±♅.
19. ☉P☿, PΨ. ☿PΨ. ♀P♄.
20. ☉☌☿. 21. ☿△♇.
22. ☿⚼♅. ♀△♃.
23. ☉△♇. ☿P♄, ☍Ψ.
25. ☉⚼♅. ☿P♀. ♂⊻♃.
26. ☿□♂, △♃.
27. ☉☍Ψ. ♂±♅. 28. ♀△♅.
29. ☿△♅. 30. ♀☌♄. ♃Stat.
31. ☿☌♄.

D M	Ψ Long. ° ′	♅ Long. ° ′	♄ Long. ° ′	♃ Long. ° ′	♂ Long. ° ′	♀ Long. ° ′	☿ Long. ° ′	☉	♇	Ψ	♅	♄	♃	♂	♀	☿
								Lunar Aspects								
1	6♐45	20♎11	18♊32	10♒47	25♒17	16♉37	21♈45			⚼	☍	✱		✱	⊻	☌
2	6℞43	20℞ 8	18 39	10 53	26 0	17 51	23 29	☌				∠	□			
3	6 42	20 6	18 46	10 58	26 42	19 5	25 14		⚼			⊻		□	☌	⊻
4	6 40	20 4	18 53	11 3	27 24	20 19	27 2		△	☍	⚼		△			∠
5	6 39	20 2	18 59	11 7	28 7	21 33	28♈51	⊻			△	☌	⚼	△	⊻	
6	6 37	19 59	19 6	11 12	28 49	22 47	0♉42	∠	□						∠	✱
7	6 36	19 57	19 13	11 16	29♒32	24 1	2 35	✱		⚼	□	⊻		⚼	✱	
8	6 34	19 55	19 20	11 21	0♓14	25 15	4 30		✱	△		∠	☍			□
9	6 33	19 53	19 28	11 25	0 56	26 29	6 27	□	∠		✱	✱				
10	6 31	19 51	19 35	11 29	1 38	27 42	8 25		⊻	□	∠			☍	□	
11	6 30	19 49	19 42	11 32	2 21	28♉56	10 25	△			⊻	□				△
12	6 28	19 46	19 49	11 36	3 3	0♊10	12 27		☌				⚼		△	⚼
13	6 27	19 44	19 56	11 39	3 45	1 24	14 30	⚼		✱			△		⚼	
14	6 25	19 42	20 4	11 42	4 27	2 38	16 35			∠	☌	△		⚼		
15	6 24	19 40	20 11	11 45	5 9	3 52	18 42		⊻	⊻		⚼		△		
16	6 22	19 39	20 18	11 48	5 51	5 5	20 50		∠		⊻		□			☍
17	6 20	19 37	20 25	11 51	6 33	6 19	22 58	☍	✱		∠					
18	6 19	19 35	20 33	11 53	7 15	7 33	25 8			☌			✱	□	☍	
19	6 17	19 33	20 40	11 55	7 57	8 46	27 19				✱	☍	∠			
20	6 16	19 31	20 48	11 57	8 39	10 0	29♉30		□	⊻				✱		
21	6 14	19 29	20 55	11 59	9 21	11 14	1♊42	⚼		∠	□		⊻			⚼
22	6 12	19 28	21 3	12 1	10 3	12 27	3 54	△	△					∠	⚼	
23	6 11	19 26	21 10	12 3	10 44	13 41	6 5		⚼	✱		⚼	☌	⊻	△	△
24	6 9	19 24	21 18	12 4	11 26	14 55	8 16				△	△				
25	6 8	19 23	21 25	12 5	12 8	16 8	10 26	□		□	⚼		⊻			□
26	6 6	19 21	21 33	12 6	12 50	17 22	12 35					□		☌	□	
27	6 4	19 20	21 41	12 7	13 31	18 36	14 42	✱	☍	△			∠			
28	6 3	19 18	21 48	12 7	14 13	19 49	16 48	∠		⚼	☍	✱	✱	⊻	✱	✱
29	6 1	19 17	21 56	12 8	14 54	21 3	18 53					∠		∠	∠	∠
30	5 59	19 15	22 4	12♒ 8	15 35	22 16	20 55	⊻	⚼			⊻	□	✱		⊻
31	5♐58	19♎14	22♊11	12℞ 8	16♓17	23♊30	22♊55		△	☍	⚼				⊻	

LAST QUARTER—May 25*d.* 8*h.* 41*m.* *a.m.*

New Moon—June 1*d.* 4*h.* 35*m.* *a.m.* and June 30*d.* 11*h.* 39*m.* *a.m.*

D M	Neptune Lat.	Neptune Dec.	Herschel Lat.	Herschel Dec.	Saturn Lat.	Saturn Dec.	Jupiter Lat.	Jupiter Dec.	Mars Lat.	Mars Dec.	Mars Dec.
	° ′	° ′	° ′	° ′	° ′	° ′	° ′	° ′	° ′	° ′	° ′
1	1 N 40	19 S 40	0 N 38	6 S 56	1 S 7	22 N 6	0 S 33	17 S 41	2 S 16	7 S 14	7 S 0
3	1 40	19 39	0 38	6 55	1 7	22 7	0 33	17 42	2 19	6 45	6 30
5	1 40	19 38	0 38	6 55	1 7	22 8	0 34	17 43	2 21	6 15	6 0
7	1 40	19 38	0 38	6 54	1 6	22 9	0 34	17 44	2 24	5 45	5 30
9	1 40	19 37	0 38	6 53	1 6	22 10	0 35	17 45	2 26	5 15	5 0
11	1 40	19 37	0 38	6 53	1 6	22 11	0 35	17 47	2 29	4 45	4 30
13	1 40	19 36	0 38	6 52	1 6	22 12	0 36	17 49	2 31	4 15	4 0
15	1 40	19 36	0 37	6 52	1 6	22 13	0 36	17 51	2 33	3 46	3 31
17	1 40	19 35	0 37	6 51	1 6	22 14	0 36	17 53	2 36	3 16	3 1
19	1 40	19 35	0 37	6 51	1 5	22 15	0 37	17 55	2 38	2 47	2 32
21	1 40	19 35	0 37	6 51	1 5	22 15	0 37	17 58	2 40	2 17	2 3
23	1 40	19 34	0 37	6 51	1 5	22 16	0 38	18 0	2 43	1 48	1 34
25	1 39	19 34	0 37	6 51	1 5	22 17	0 38	18 3	2 45	1 19	1 5
27	1 39	19 33	0 37	6 51	1 5	22 17	0 39	18 6	2 47	0 51	0 S 37
29	1 39	19 33	0 37	6 51	1 5	22 18	0 39	18 9	2 49	0 22	—
30	1 N 39	19 S 33	0 N 37	6 S 51	1 S 5	22 N 18	0 S 39	18 S 11	2 S 50	0 S 8	

D M	D W	Sidereal Time	☉ Long.	☉ Dec.	☽ Long.	☽ Lat.	☽ Dec.	MIDNIGHT ☽ Long.	MIDNIGHT ☽ Dec.
		H. M. S.	° ′ ″	° ′	° ′ ″	° ′	° ′	° ′ ″	° ′
1	F	4 39 19	10 ♊ 50 39	22 N 4	15 ♊ 14 36	2 N 1	24 N 38	22 ♊ 50 7	24 N 36
2	S	4 43 15	11 48 9	22 12	0 ♋ 24 14	0 N 40	24 7	7 ♋ 55 51	23 11
3	𝔖	4 47 12	12 45 38	22 20	15 23 57	0 S 42	21 52	22 47 39	20 10
4	M	4 51 9	13 43 6	22 27	0 ♌ 6 16	2 0	18 11	7 ♌ 19 18	15 56
5	Tu	4 55 5	14 40 33	22 34	14 26 21	3 9	13 30	21 27 14	10 55
6	W	4 59 2	15 37 59	22 40	28 21 55	4 4	8 14	5 ♍ 10 25	5 N 29
7	Th	5 2 58	16 35 23	22 46	11 ♍ 52 57	4 44	2 N 44	18 29 44	0 S 1
8	F	5 6 55	17 32 47	22 52	25 1 5	5 8	2 S 44	1 ♎ 27 21	5 22
9	S	5 10 51	18 30 9	22 57	7 ♎ 48 56	5 16	7 56	14 6 14	10 23
10	𝔖	5 14 48	19 27 30	23 1	20 19 39	5 8	12 42	26 29 34	14 52
11	M	5 18 44	20 24 50	23 6	2 ♏ 36 24	4 47	16 52	8 ♏ 40 31	18 40
12	Tu	5 22 41	21 22 9	23 10	14 42 16	4 13	20 16	20 41 59	21 39
13	W	5 26 38	22 19 28	23 13	26 40 1	3 28	22 47	2 ♐ 36 40	23 39
14	Th	5 30 34	23 16 45	23 16	8 ♐ 32 14	2 34	24 16	14 26 59	24 36
15	F	5 34 31	24 14 2	23 19	20 21 12	1 34	24 40	26 15 10	24 26
16	S	5 38 27	25 11 19	23 21	2 ♑ 9 11	0 S 30	23 56	8 ♑ 3 29	23 9
17	𝔖	5 42 24	26 8 35	23 23	13 58 25	0 N 35	22 8	19 54 15	20 51
18	M	5 46 20	27 5 50	23 25	25 51 20	1 40	19 21	1 ♒ 49 59	17 38
19	Tu	5 50 17	28 3 5	23 26	7 ♒ 50 35	2 40	15 44	13 53 32	13 39
20	W	5 54 13	29 0 19	23 26	19 59 12	3 34	11 26	26 8 1	9 4
21	Th	5 58 10	29 ♊ 57 34	23 27	2 ♓ 20 25	4 19	6 36	8 ♓ 36 50	4 S 3
22	F	6 2 7	0 ♋ 54 48	23 26	14 57 42	4 53	1 S 25	21 23 28	1 N 16
23	S	6 6 3	1 52 2	23 26	27 54 30	5 13	3 N 57	4 ♈ 31 10	6 39
24	𝔖	6 10 0	2 49 16	23 25	11 ♈ 13 47	5 17	9 18	18 2 33	11 53
25	M	6 13 56	3 46 30	23 23	24 57 38	5 3	14 22	1 ♉ 59 0	16 41
26	Tu	6 17 53	4 43 44	23 21	9 ♉ 6 34	4 31	18 49	16 20 3	20 41
27	W	6 21 49	5 40 58	23 19	23 39 1	3 41	22 15	1 ♊ 2 53	23 28
28	Th	6 25 46	6 38 12	23 17	8 ♊ 30 54	2 35	24 17	16 2 9	24 39
29	F	6 29 42	7 35 26	23 14	23 35 38	1 N 17	24 35	1 ♋ 10 14	24 2
30	S	6 33 39	8 ♋ 32 40	23 N 10	8 ♋ 44 48	0 S 6	23 N 3	16 ♋ 18 9	21 N 39

First Quarter—June 7*d.* 9*h.* 11*m.* *p.m.*

Full Moon—June 15*d.* 8*h.* 35*m.* *p.m.*

D M	Venus Lat. ° ′	Venus Dec. ° ′	Venus Dec. ° ′	Mercury Lat. ° ′	Mercury Dec. ° ′	Mercury Dec. ° ′	☽ Node ° ′
1	0N 41	24N 2	24N 7	1N 55	25N 16	25N 23	9♑13
3	0 46	24 11	24 14	2 2	25 28	25 31	9 7
5	0 50	24 17	24 19	2 6	25 31	25 29	9 1
7	0 55	24 20	24 21	2 6	25 25	25 19	8 54
9	0 59	24 21	24 20	2 4	25 11	25 2	8 48
11	1 3	24 18	24 16	1 58	24 50	24 38	8 42
13	1 7	24 13	24 9	1 50	24 24	24 9	8 35
15	1 10	24 5	24 0	1 39	23 52	23 35	8 29
17	1 14	23 54	23 47	1 25	23 17	22 57	8 23
19	1 17	23 40	23 32	1 8	22 38	22 17	8 16
21	1 20	23 23	23 14	0 49	21 56	21 35	8 10
23	1 23	23 4	22 53	0 28	21 13	20 52	8 4
25	1 25	22 42	22 30	0N 4	20 30	20 8	7 57
27	1 28	22 18	22N 4	0 S 22	19 46	19N 25	7 51
29	1 30	21 50	—	0 49	19 4	—	7 45
30	1N 31	21N 36		1 S 3	18N 43		7♑41

Mutual Aspects

1. ☉P♄. ☿☌♀.
2. ☉△♃. ☿⚼♃. ♂P♅.
3. ♀⚼♃. ♂⊥♃.
4. ♂▽♅. 5. ☿□♇.
7. ☿±♃, ▽♆. ♀□♇.
10. ☉△♅. ♀±♃, ▽♆.
11. ☿▽♃, ±♆. ♂□♄. [♇ Stat.
14. ☿P♀. [∠♃.
15. ☉☌♄. ♀▽♃, ±♆. ♂.
16. ☿□♅, Q♇.
17. ☉P☿, ⚼♃. ☿⚼♆.
20. ☿P♄. [Q♇.
21. ☉P♀. ☿⊻♄. ♀□♅,
22. ♀⚼♆.
23. ☉□♂, □♇. ♂☍♇.
26. ☉±♃. ♀⊻♄. ♅Stat.
27. ☉▽♆. ♀P♄.
28. ☿P♆. ♂△♆. ♃⚼♄.
30. ☿⚹♇.

D M	♆ Long. ° ′	♅ Long. ° ′	♄ Long. ° ′	♃ Long. ° ′	♂ Long. ° ′	♀ Long. ° ′	☿ Long. ° ′	☉	♇	♆	♅	♄	♃	♂	♀	☿
1	5♐56	19♎13	22♊19	12♒8	16♓58	24♊44	24♊54	☌			△	☌	△	□		
2	5℞55	19℞12	22 27	12℞7	17 39	25 57	26 49		□				⚼		☌	☌
3	5 53	19 10	22 34	12 7	18 20	27 11	28♊43	⊻		⚼	□	⊻		△		
4	5 51	19 9	22 42	12 6	19 1	28 24	0♋33	∠	⚹	△				⚼	⊻	⊻
5	5 50	19 8	22 50	12 5	19 42	29♊38	2 22	⚹	∠		⚹	∠	☍		∠	∠
6	5 48	19 7	22 58	12 4	20 23	0♋51	4 7		⊻		∠	⚹			⚹	⚹
7	5 47	19 6	23 5	12 2	21 4	2 4	5 50	□		□						
8	5 45	19 5	23 13	12 1	21 44	3 18	7 31				⊻	□	⚼	☍		
9	5 43	19 4	23 21	11 59	22 25	4 31	9 9		☌	⚹			△		□	□
10	5 42	19 3	23 29	11 57	23 6	5 45	10 44	△		∠	☌	△				
11	5 40	19 2	23 37	11 55	23 46	6 58	12 16	⚼	⊻	⊻					△	
12	5 39	19 2	23 45	11 53	24 26	8 11	13 45		∠		⊻	⚼	□	⚼		△
13	5 37	19 1	23 52	11 50	25 7	9 25	15 12		⚹					△	⚼	⚼
14	5 36	19 0	24 0	11 48	25 47	10 38	16 36			☌	∠		⚹			
15	5 34	19 0	24 8	11 45	26 27	11 51	17 57	☍			⚹	☍				
16	5 33	18 59	24 16	11 42	27 7	13 5	19 16		□	⊻			∠	□		
17	5 31	18 58	24 24	11 39	27 46	14 18	20 31				□		⊻		☍	
18	5 30	18 58	24 31	11 35	28 26	15 31	21 43		△	∠				⚹		☍
19	5 28	18 58	24 39	11 32	29 6	16 45	22 53	⚼		⚹		⚼	☌			
20	5 27	18 57	24 47	11 28	29♓45	17 58	23 59		⚼		△	△		∠		
21	5 25	18 57	24 55	11 24	0♈25	19 11	25 2	△		□	⚼			⊻	⚼	
22	5 24	18 57	25 3	11 20	1 4	20 24	26 2						⊻		△	⚼
23	5 22	18 57	25 10	11 16	1 43	21 37	26 58	□	☍			□	∠	☌		△
24	5 21	18 56	25 18	11 11	2 22	22 51	27 51			△			⚹			
25	5 20	18 56	25 26	11 7	3 1	24 4	28 41			⚼	☍	⚹			□	□
26	5 18	18 56	25 34	11 2	3 40	25 17	29♋27	⚹				∠	□	⊻		
27	5 17	18 D56	25 41	10 57	4 19	26 30	0♌9	∠	⚼			⊻		∠	⚹	⚹
28	5 16	18 56	25 49	10 52	4 57	27 43	0 47	⊻	△	☍	⚼		△	⚹	∠	
29	5 14	18 56	25 57	10 47	5 35	28♋56	1 22				△	☌	⚼		⊻	∠
30	5♐13	18♎57	26♊5	10♒42	6♈13	0♌9	1♌52	☌	□					□		⊻

Last Quarter—June 23*d.* 7*h.* 46*m.* *p.m.*

New Moon—July 29*d.* 6*h.* 59*m.* *p.m.*

D M	Neptune Lat.	Neptune Dec.	Herschel Lat.	Herschel Dec.	Saturn Lat.	Saturn Dec.	Jupiter Lat.	Jupiter Dec.	Mars Lat.	Mars Dec.	Mars Dec. (even days)
	° ′	° ′	° ′	° ′	° ′	° ′	° ′	° ′	° ′	° ′	° ′
1	1 N 39	19 S 32	0 N 37	6 S 51	1 S 5	22 N 19	0 S 39	18 S 13	2 S 52	0 N 6	0 N 20
3	1 39	19 32	0 37	6 51	1 5	22 19	0 40	18 16	2 54	0 33	0 47
5	1 39	19 32	0 37	6 52	1 5	22 20	0 40	18 20	2 56	1 1	1 14
7	1 39	19 31	0 37	6 52	1 4	22 20	0 41	18 24	2 58	1 28	1 41
9	1 39	19 31	0 37	6 53	1 4	22 20	0 41	18 28	3 0	1 55	2 8
11	1 39	19 31	0 36	6 53	1 4	22 21	0 41	18 31	3 2	2 21	2 34
13	1 39	19 30	0 36	6 54	1 4	22 21	0 42	18 36	3 4	2 47	3 0
15	1 39	19 30	0 36	6 55	1 4	22 21	0 42	18 40	3 6	3 12	3 25
17	1 39	19 30	0 36	6 56	1 4	22 22	0 42	18 44	3 8	3 37	3 50
19	1 39	19 30	0 36	6 57	1 4	22 22	0 43	18 48	3 10	4 2	4 14
21	1 38	19 30	0 36	6 58	1 4	22 22	0 43	18 52	3 11	4 26	4 38
23	1 38	19 29	0 36	6 59	1 4	22 22	0 43	18 56	3 13	4 50	5 1
25	1 38	19 29	0 36	7 0	1 4	22 23	0 44	19 1	3 15	5 13	5 24
27	1 38	19 29	0 36	7 1	1 4	22 23	0 44	19 5	3 16	5 35	5 46
29	1 38	19 29	0 36	7 2	1 4	22 23	0 44	19 9	3 18	5 57	6 N 8
31	1 N 38	19 S 29	0 N 36	7 S 4	1 S 4	22 N 23	0 S 45	19 S 13	3 S 20	6 N 18	

D M	D W	Sidereal Time	☉ Long.	☉ Dec.	☽ Long.	☽ Lat.	☽ Dec.	MIDNIGHT ☽ Long.	MIDNIGHT ☽ Dec
		H. M. S.	° ′ ″	° ′	° ′ ″	° ′	° ′	° ′ ″	° ′
1	𝔖	6 37 36	9♋29 54	23 N 6	23♋49 10	1 S 29	19 N 53	1♌16 48	17 N 48
2	M	6 41 32	10 27 7	23 2	8♌40 5	2 44	15 27	15 58 15	12 55
3	Tu	6 45 29	11 24 20	22 57	23 10 37	3 47	10 13	0♍16 45	7 26
4	W	6 49 25	12 21 33	22 52	7♍16 19	4 34	4 N 36	14 9 12	1 N 45
5	Th	6 53 22	13 18 46	22 47	20 55 23	5 4	1 S 4	27 35 0	3 S 49
6	F	6 57 18	14 15 59	22 41	4♎ 8 18	5 17	6 30	10♎35 38	9 3
7	S	7 1 15	15 13 11	22 34	16 57 25	5 13	11 29	23 14 5	13 46
8	𝔖	7 5 12	16 10 23	22 28	29 26 10	4 55	15 52	5♏34 10	17 47
9	M	7 9 8	17 7 35	22 21	11♏38 38	4 24	19 30	17 40 6	21 0
10	Tu	7 13 5	18 4 47	22 13	23 39 6	3 41	22 15	29 36 7	23 16
11	W	7 17 1	19 1 59	22 5	5♐31 39	2 49	24 0	11♐26 10	24 29
12	Th	7 20 58	19 59 11	21 57	17 20 6	1 51	24 41	23 13 51	24 36
13	F	7 24 54	20 56 23	21 49	29 7 49	0 S 47	24 14	5♑ 2 20	23 36
14	S	7 28 51	21 53 36	21 40	10♑57 45	0 N 18	22 41	16 54 20	21 32
15	𝔖	7 32 47	22 50 48	21 30	22 52 22	1 23	20 8	28 52 8	18 31
16	M	7 36 44	23 48 1	21 21	4♒53 50	2 25	16 42	10♒57 45	14 42
17	Tu	7 40 41	24 45 14	21 11	17 4 3	3 21	12 32	23 12 59	10 13
18	W	7 44 37	25 42 28	21 0	29 24 46	4 8	7 48	5♓39 35	5 17
19	Th	7 48 34	26 39 43	20 50	11♓57 40	4 45	2 S 41	18 19 15	0 S 3
20	F	7 52 30	27 36 58	20 38	24 44 32	5 8	2 N 37	1♈13 44	5 N 17
21	S	7 56 27	28 34 13	20 27	7♈47 5	5 15	7 55	14 24 46	10 29
22	𝔖	8 0 23	29♋31 30	20 15	21 7 0	5 6	12 58	27 53 55	15 19
23	M	8 4 20	0♌28 48	20 3	4♉45 39	4 40	17 30	11♉42 15	19 29
24	Tu	8 8 16	1 26 6	19 51	18 43 43	3 57	21 12	25 49 57	22 37
25	W	8 12 13	2 23 25	19 38	3♊ 0 45	2 59	23 41	10♊15 50	24 22
26	Th	8 16 10	3 20 46	19 25	17 34 46	1 48	24 39	24 57 0	24 29
27	F	8 20 6	4 18 7	19 11	2♋21 51	0 N 28	23 54	9♋48 31	22 52
28	S	8 24 3	5 15 30	18 57	17 16 8	0 S 53	21 27	24 43 44	19 39
29	𝔖	8 27 59	6 12 53	18 43	2♌10 37	2 11	17 33	9♌34 48	15 10
30	M	8 31 56	7 10 17	18 29	16 56 18	3 20	12 35	24 13 51	9 51
31	Tu	8 35 52	8♌ 7 41	18 N 14	1♍26 39	4 S 14	7 N 1	8♍34 2	4 N 7

First Quarter—July 7*d.* 8*h.* 26*m.* *a.m.*

Full Moon—July 15*d.* 11*h.* 56*m.* *a.m.*

D M	Venus Lat.	Venus Dec.	Venus Dec.	Mercury Lat.	Mercury Dec.	Mercury Dec.	☽ Node
	° ′	° ′	° ′	° ′	° ′	° ′	° ′
1	1N 32	21N 21		1 S 18	18N 23		7♑38
2			21N 5			18N 4	
3	1 33	20 49		1 48	17 45		7 32
4			20 32			17 27	
5	1 35	20 15		2 19	17 11		7 25
6			19 57			16 55	
7	1 36	19 38		2 49	16 40		7 19
8			19 19			16 27	
9	1 36	18 59		3 19	16 15		7 13
10			18 39			16 5	
11	1 37	18 19		3 46	15 56		7 6
12			17 58			15 49	
13	1 37	17 36		4 11	15 43		7 0
14			17 14			15 40	
15	1 37	16 52		4 31	15 38		6 54
16			16 29			15 37	
17	1 37	16 5		4 46	15 38		6 47
18			15 42			15 41	
19	1 36	15 17		4 55	15 45		6 41
20			14 53			15 51	
21	1 35	14 28		4 57	15 59		6 35
22			14 2			16 7	
23	1 34	13 37		4 53	16 17		6 28
24			13 11			16 27	
25	1 32	12 44		4 41	16 39		6 22
26			12 18			16 51	
27	1 30	11 51		4 24	17 4		6 16
28			11 23			17 17	
29	1 28	10 56		4 2	17 31		6 9
30			10N 28			17N 44	
31	1N 25	10N 0		3 S 35	17N 58		6♑ 3

Mutual Aspects

1. ☿P♃, ⊥♄. ♀✱♇.
2. ☉∇♃. ☿☌♀. ♀⊥♄.
3. ☉±♆. 4. ♀△♆.
6. ☿Stat. ♀Q♅. ♂✱♃.
7. ♀P♆. 8. ☿⊥♄. ♀☍♃.
9. ☉P♄.
10. ♀△♂, P♃, ∠♄.
11. ☉□♅.
12. ☉⚼♆, Q♇. ☿✱♇.
14. ♀∠♇. 16. ♀✱♅. ♂Q♄.
18. ☿P♀, ⊻♄. 20. ☉☌☿.
21. ☉⊻♄. ☿⊻♀. ♀⊥♇.
22. ♀P♇. ♂☍♅.
23. ♂Q♃, ⚼♆.
24. ♀✱♄. 25. ☉✱♇. ☿⊥♀.
26. ☉P♆. ♀⊻♇.
27. ☉P♃, △♆.
28. ☉⊥♄. ♀∠♅.
29. ☿□♂. ♀□♆.
30. ☉☍♃, Q♅. ☿Stat.
31. ☿∠♀. ♀∇♃.

D M	♆ Long.	♅ Long.	♄ Long.	♃ Long.	♂ Long.	♀ Long.	☿ Long.
	° ′	° ′	° ′	° ′	° ′	° ′	° ′
1	5♐12	18♎57	26♊12	10♒36	6♈51	1♌22	2♌18
2	5℞10	18 57	26 20	10℞30	7 29	2 36	2 40
3	5 9	18 57	26 28	10 25	8 7	3 49	2 57
4	5 8	18 58	26 35	10 19	8 44	5 2	3 10
5	5 7	18 58	26 43	10 13	9 22	6 15	3 17
6	5 6	18 59	26 50	10 7	9 59	7 28	3 21
7	5 4	18 59	26 58	10 0	10 36	8 40	3℞19
8	5 3	19 0	27 6	9 54	11 13	9 53	3 13
9	5 2	19 0	27 13	9 47	11 49	11 6	3 3
10	5 1	19 1	27 21	9 41	12 25	12 19	2 47
11	5 0	19 2	27 28	9 34	13 2	13 32	2 28
12	4 59	19 3	27 36	9 27	13 38	14 45	2 4
13	4 58	19 3	27 43	9 20	14 13	15 58	1 36
14	4 57	19 4	27 50	9 13	14 49	17 11	1 5
15	4 56	19 5	27 58	9 6	15 24	18 23	0♌31
16	4 55	19 6	28 5	8 59	15 59	19 36	29♋54
17	4 54	19 7	28 12	8 52	16 34	20 49	29 15
18	4 53	19 8	28 20	8 44	17 9	22 1	28 35
19	4 52	19 10	28 27	8 37	17 43	23 14	27 54
20	4 52	19 11	28 34	8 29	18 17	24 27	27 13
21	4 51	19 12	28 41	8 22	18 51	25 39	26 33
22	4 50	19 13	28 48	8 14	19 25	26 52	25 54
23	4 49	19 15	28 55	8 7	19 58	28 4	25 17
24	4 49	19 16	29 2	7 59	20 32	29♌17	24 44
25	4 48	19 18	29 9	7 51	21 4	0♍30	24 13
26	4 47	19 19	29 16	7 44	21 37	1 42	23 47
27	4 47	19 21	29 23	7 36	22 9	2 55	23 25
28	4 46	19 22	29 30	7 28	22 41	4 7	23 9
29	4 45	19 24	29 37	7 20	23 13	5 19	22 58
30	4 45	19 26	29 44	7 13	23 44	6 32	22♋52
31	4♐44	19♎27	29♊50	7♒ 5	24♈15	7♍44	22 D53

Lunar Aspects

D	☉	♇	♆	♅	♄	♃	♂	♀	☿
1			⚼	□	⊻				
2	⊻	✱	△		∠	☍	△	☌	●☌
3	∠	∠		✱	✱		⚼		
4	✱	⊻	□	∠				⊻	⊻
5				⊻	□	⚼		∠	∠
6		☌	✱			△	☍	✱	✱
7	□		∠	☌					
8		⊻	⊻		△				□
9	△	∠			⚼	□		□	
10				⊻			⚼		
11	⚼	✱	☌	∠		✱			△
12				✱			△	△	⚼
13		□	⊻		☍	∠		⚼	
14						⊻	□		
15	●☍		∠	□					
16		△	✱			☌			☍
17		⚼		△	⚼		✱	☍	
18			□	⚼	△		∠		
19	⚼					⊻	⊻		⚼
20	△				□	∠			△
21		☍	△			✱		⚼	
22			⚼	☍			☌	△	□
23	□				✱	□			
24		⚼			∠		⊻		✱
25	✱	△	☍	⚼	⊻	△	∠	□	∠
26	∠			△		⚼	✱		⊻
27	⊻	□			☌			✱	
28			⚼	□			□	∠	☌
29	☌	✱	△		⊻	☍		⊻	
30		∠		✱	∠		△		⊻
31		⊻	□	∠	✱			☌	∠

Last Quarter—July 23*d.* 3*h.* 58*m.* *a.m.*

NEW MOON—August 28*d.* 3*h.* 26*m.* *a.m.*

D M	Neptune Lat.	Neptune Dec.	Herschel Lat.	Herschel Dec.	Saturn Lat.	Saturn Dec.	Jupiter Lat.	Jupiter Dec.	Mars Lat.	Mars Dec.	
	° ′	° ′	° ′	° ′	° ′	° ′	° ′	° ′	° ′	° ′	° ′
1	1N38	19S29	0N36	7S 5	1S 4	22N23	0S45	19S16	3S20	6N29	
											6N39
3	1 38	19 29	0 36	7 6	1 4	22 23	0 45	19 20	3 22	6 49	
											6 59
5	1 38	19 29	0 36	7 8	1 4	22 23	0 45	19 24	3 23	7 9	
											7 19
7	1 38	19 29	0 35	7 9	1 4	22 23	0 45	19 28	3 24	7 28	
											7 38
9	1 37	19 29	0 35	7 11	1 4	22 23	0 46	19 32	3 25	7 47	
											7 56
11	1 37	19 29	0 35	7 13	1 4	22 23	0 46	19 36	3 27	8 5	
											8 13
13	1 37	19 29	0 35	7 14	1 4	22 23	0 46	19 39	3 28	8 22	
											8 30
15	1 37	19 29	0 35	7 16	1 4	22 22	0 46	19 43	3 28	8 38	
											8 46
17	1 37	19 29	0 35	7 18	1 4	22 22	0 46	19 47	3 29	8 54	
											9 2
19	1 37	19 29	0 35	7 20	1 4	22 22	0 46	19 50	3 30	9 9	
											9 17
21	1 37	19 29	0 35	7 22	1 4	22 22	0 47	19 53	3 31	9 24	
											9 31
23	1 37	19 30	0 35	7 24	1 4	22 22	0 47	19 56	3 31	9 37	
											9 44
25	1 37	19 30	0 35	7 26	1 4	22 22	0 47	20 0	3 32	9 50	
											9 56
27	1 36	19 30	0 35	7 29	1 4	22 21	0 47	20 2	3 32	10 2	
											10 8
29	1 36	19 30	0 35	7 31	1 4	22 21	0 47	20 5	3 32	10 14	
											10N19
31	1N36	19S31	0N35	7S33	1S 4	22N21	0S47	20S 8	3S32	10N24	

D M	D W	Sidereal Time	☉ Long.	☉ Dec.	☽ Long.	☽ Lat.	☽ Dec.	MIDNIGHT ☽ Long.	MIDNIGHT ☽ Dec.
		H. M. S.	° ′ ″	° ′	° ′ ″	° ′	° ′	° ′ ″	° ′
1	W	8 39 49	9♌ 5 6	17N59	15♍35 27	4S51	1N13	22♍30 32	1S39
2	Th	8 43 45	10 2 32	17 44	29 19 5	5 10	4S28	6♎ 1 1	7 10
3	F	8 47 42	10 59 59	17 28	12♎36 27	5 11	9 45	19 5 35	12 11
4	S	8 51 39	11 57 26	17 12	25 28 45	4 57	14 27	1♏46 22	16 32
5	𝕾	8 55 35	12 54 54	16 56	7♏58 57	4 28	18 24	14 7 2	20 3
6	M	8 59 32	13 52 23	16 40	20 11 14	3 49	21 28	26 12 8	22 37
7	Tu	9 3 28	14 49 52	16 23	2♐10 22	2 59	23 32	8♐ 6 35	24 10
8	W	9 7 25	15 47 23	16 6	14 1 23	2 3	24 31	19 55 23	24 36
9	Th	9 11 21	16 44 54	15 49	25 49 8	1S 2	24 24	1♑43 12	23 56
10	F	9 15 18	17 42 26	15 32	7♑38 5	0N 2	23 11	13 34 15	22 11
11	S	9 19 14	18 39 59	15 14	19 32 7	1 7	20 55	25 32 4	19 26
12	𝕾	9 23 11	19 37 33	14 56	1♒34 26	2 9	17 43	7♒39 27	15 49
13	M	9 27 8	20 35 8	14 38	13 47 23	3 5	13 44	19 58 22	11 29
14	Tu	9 31 4	21 32 44	14 19	26 12 34	3 54	9 7	2♓30 1	6 37
15	W	9 35 1	22 30 22	14 1	8♓50 47	4 32	4S 3	15 14 53	1S24
16	Th	9 38 57	23 28 1	13 42	21 42 17	4 57	1N16	28 12 57	3N57
17	F	9 42 54	24 25 41	13 23	4♈46 50	5 8	6 36	11♈23 54	9 12
18	S	9 46 50	25 23 23	13 4	18 4 6	5 1	11 44	24 47 23	14 8
19	𝕾	9 50 47	26 21 6	12 44	1♉33 44	4 39	16 22	8♉23 7	18 25
20	M	9 54 43	27 18 51	12 24	15 15 32	4 0	20 14	22 10 57	21 46
21	Tu	9 58 40	28 16 38	12 4	29 9 21	3 6	23 0	6♊10 42	23 53
22	W	10 2 37	29♌14 26	11 44	13♊14 54	2 1	24 24	20 21 51	24 30
23	Th	10 6 33	0♍12 17	11 24	27 31 20	0N47	24 12	4♋43 6	23 30
24	F	10 10 30	1 10 9	11 4	11♋56 48	0S30	22 24	19 11 59	20 56
25	S	10 14 26	2 8 3	10 43	26 28 7	1 46	19 8	3♌44 34	17 1
26	𝕾	10 18 23	3 5 58	10 22	11♌ 0 37	2 55	14 40	18 15 31	12 6
27	M	10 22 19	4 3 55	10 1	25 28 29	3 52	9 23	2♍38 43	6 34
28	Tu	10 26 16	5 1 53	9 40	9♍45 26	3 34	3N41	16 47 59	0N47
29	W	10 30 12	5 59 53	9 19	23 45 43	4 58	2S 5	0♎38 11	4S53
30	Th	10 34 9	6 57 55	8 57	7♎24 59	5 4	7 36	14 5 54	10 11
31	F	10 38 6	7♍55 58	8N36	20♎40 53	4S54	12S37	27♎ 9 57	14S52

FIRST QUARTER—August 5*d.* 10*h.* 27*m.* *p.m.*

FULL MOON—August 14*d.* 2*h.* 17*m.* *a.m.*

D M	Venus Lat. ° ′	Venus Dec. ° ′	Venus Dec. ° ′	Mercury Lat. ° ′	Mercury Dec. ° ′	Mercury Dec. ° ′	☽ Node ° ′
1	1N 24	9N 31	9N 3	3 S 21	18N 11	18N 24	6♑ 0
3	1 21	8 34	8 5	2 50	18 36	18 47	5 53
5	1 18	7 35	7 6	2 18	18 57	19 6	5 47
7	1 14	6 36	6 6	1 46	19 14	19 20	5 41
9	1 10	5 36	5 6	1 14	19 24	19 27	5 34
11	1 6	4 36	4 6	0 43	19 28	19 26	5 28
13	1 2	3 35	3 4	0 S 14	19 22	19 15	5 22
15	0 57	2 34	2 3	0N 13	19 6	18 54	5 15
17	0 52	1 32	1N 1	0 37	18 39	18 22	5 8
19	0 47	0N 30	0 S 1	0 57	18 2	17 39	5 2
21	0 41	0 S 32	1 3	1 14	17 13	16 45	4 56
23	0 36	1 34	2 5	1 28	16 15	15 42	4 50
25	0 30	2 36	3 7	1 37	15 7	14 31	4 43
27	0 24	3 38	4 8	1 43	13 53	13 13	4 37
29	0 17	4 39	5 S 10	1 46	12 31	11N 49	4 31
31	0N 11	5 S 40		1N 46	11N 5		4♑24

Mutual Aspects

1. ⊙P ☿. 2. ⊙⊻ ♀. ♀⚼ ♂.
4. ♀± ♃, Q ♄.
5. ♀⊥ ♅. ♂P ♅. ♃ ± ♄.
6. ♀P ♂, P ♅.
7. ♃P ♆. ♅∠ ♆.
8. ⊙∠ ♄. 9. ♂± ♆.
10. ⊙∠ ♇. ☿□ ♂. ♀⊻ ♅.
11. ♀⚼ ♃.
12. ⊙✱ ♅. ☿⊻ ♄. ♀Q ♆.
13. ☿✱ ♇. 14. ☿△ ♆. ♀± ♂.
15. ☿☍ ♃. ♆ Stat.
16. ⊙P ♇. ☿⊥ ♄. ♂✱ ♄.
17. ☿Q ♅. 19. ♂▽ ♇.
20. ⊙⊥ ♇. ♀□ ♄. ♃✱ ♆.
21. ♀☌ ♇. [✱ ♆.
22. ☿∠ ♄, ∠ ♇. ♀▽ ♂, △ ♃,
23. ☿✱ ♅. ♂□ ♃.
24. ☿∠ ♀. ♂▽ ♆.
25. ⊙✱ ♄. 26. ⊙⊻ ♇.
27. ⊙⊥ ♀, P ♂, ▽ ♃. ☿⊥ ♇.
28. ⊙□ ♆. ☿P ♇.
29. ⊙△ ♂, ∠ ♅.
30. ☿▽ ♃, ✱ ♄. ⊻ ♇.
31. ☿∠ ♅, □ ♆.

D M	♆ Long. ° ′	♅ Long. ° ′	♄ Long. ° ′	♃ Long. ° ′	♂ Long. ° ′	♀ Long. ° ′	☿ Long. ° ′	⊙	♇	♆	♅	♄	♃	♂	♀	☿
1	4♐44	19♎29	29♊57	6♒57	24♈45	8♍56	22♋59	⊻			⊻		⚼	⚼		
2	4℞43	19 31	0♋ 4	6℞49	25 15	10 9	23 13	∠	☌	✱		□				✱
3	4 43	19 33	0 10	6 41	25 45	11 21	23 32	✱					△		⊻	
4	4 43	19 35	0 17	6 34	26 15	12 33	23 58			∠	☌	△		☍	∠	□
5	4 42	19 37	0 23	6 26	26 44	13 46	24 31	□	⊻	⊻			□			
6	4 42	19 39	0 30	6 18	27 13	14 58	25 10		∠		⊻	⚼			✱	△
7	4 42	19 41	0 36	6 11	27 41	16 10	25 55		✱	☌	∠		✱			
8	4 41	19 43	0 42	6 3	28 9	17 22	26 47	△			✱			⚼	□	⚼
9	4 41	19 45	0 49	5 55	28 37	18 34	27 45					☍	∠	△		
10	4 41	19 47	0 55	5 48	29 4	19 46	28 49	⚼	□	⊻			⊻			
11	4 41	19 50	1 1	5 41	29 31	20 58	29♋59			∠	□				△	
12	4 40	19 52	1 7	5 33	29♈57	22 10	1♌15		△	✱			☌	□		☍
13	4 40	19 54	1 13	5 26	0♉23	23 22	2 36		⚼		△	⚼			⚼	
14	4 40	19 57	1 19	5 19	0 48	24 34	4 2	☍				△		✱		
15	4 40	19 59	1 25	5 12	1 13	25 45	5 33			□	⚼		⊻			
16	4 D40	20 1	1 31	5 5	1 38	26 57	7 8						∠	∠	☍	⚼
17	4 40	20 4	1 37	4 58	2 2	28 9	8 48	⚼	☍	△		□	✱	⊻		△
18	4 40	20 6	1 42	4 51	2 25	29♍21	10 32			⚼	☍					
19	4 40	20 9	1 48	4 44	2 48	0♎32	12 19	△				✱	□	☌		
20	4 40	20 12	1 53	4 37	3 11	1 44	14 8		⚼			∠			⚼	□
21	4 41	20 14	1 59	4 31	3 32	2 56	16 1	□	△	☍	⚼	⊻	△	⊻	△	
22	4 41	20 17	2 4	4 24	3 54	4 7	17 55				△		⚼	∠		✱
23	4 41	20 20	2 10	4 18	4 15	5 19	19 51	✱	□			☌		✱		
24	4 41	20 22	2 15	4 12	4 35	6 30	21 48	∠							□	∠
25	4 41	20 25	2 20	4 6	4 55	7 41	23 46	⊻	✱	⚼	□	⊻				⊻
26	4 42	20 28	2 25	4 0	5 14	8 53	25 45		∠	△		∠	☍	□	✱	
27	4 42	20 31	2 30	3 54	5 32	10 4	27 44				✱	✱			∠	☌
28	4 42	20 34	2 35	3 48	5 50	11 15	29♌43	☌	⊻	□	∠			△	⊻	
29	4 43	20 37	2 40	3 43	6 7	12 27	1♍42				⊻		⚼	⚼		
30	4 43	20 40	2 45	3 38	6 23	13 38	3 41	⊻	☌	✱		□	△			⊻
31	4♐44	20♎43	2♋50	3♒32	6♉39	14♎49	5♍39	∠		∠	☌				☌	∠

(Columns ⊙ to ☿ at right: Lunar Aspects)

LAST QUARTER—August 21*d.* 10*h.* 23*m.* *a.m.*

New Moon—September 26*d.* 1*h.* 55*m.* *p.m.*

D M	Neptune Lat.	Neptune Dec.	Herschel Lat.	Herschel Dec.	Saturn Lat.	Saturn Dec.	Jupiter Lat.	Jupiter Dec.	Mars Lat.	Mars Dec.	Mars Dec.
	° ′	° ′	° ′	° ′	° ′	° ′	° ′	° ′	° ′	° ′	° ′
1	1 N 36	19 S 31	0 N 35	7 S 34	1 S 4	22 N 21	0 S 47	20 S 9	3 S 32	10 N 29	10 N 34
3	1 36	19 31	0 35	7 37	1 4	22 21	0 47	20 11	3 31	10 38	10 43
5	1 36	19 31	0 35	7 39	1 4	22 20	0 47	20 13	3 31	10 47	10 51
7	1 36	19 32	0 35	7 41	1 4	22 20	0 47	20 15	3 30	10 55	10 58
9	1 36	19 32	0 34	7 44	1 4	22 20	0 47	20 17	3 29	11 2	11 5
11	1 36	19 33	0 34	7 46	1 4	22 20	0 47	20 18	3 28	11 8	11 11
13	1 35	19 33	0 34	7 49	1 4	22 19	0 47	20 20	3 27	11 13	11 15
15	1 35	19 33	0 34	7 52	1 4	22 19	0 47	20 21	3 25	11 18	11 20
17	1 35	19 34	0 34	7 54	1 4	22 19	0 47	20 22	3 24	11 21	11 23
19	1 35	19 34	0 34	7 57	1 4	22 19	0 47	20 23	3 22	11 24	11 25
21	1 35	19 35	0 34	7 59	1 4	22 18	0 47	20 24	3 19	11 26	11 27
23	1 35	19 35	0 34	8 2	1 4	22 18	0 47	20 24	3 16	11 27	11 27
25	1 35	19 36	0 34	8 5	1 4	22 18	0 47	20 25	3 13	11 27	11 27
27	1 35	19 36	0 34	8 8	1 5	22 18	0 47	20 25	3 10	11 27	11 N 26
29	1 35	19 37	0 34	8 10	1 5	22 17	0 47	20 25	3 6	11 25	—
30	1 N 35	19 S 37	0 N 34	8 S 12	1 S 5	22 N 17	0 S 47	20 S 25	3 S 4	11 N 24	

D M	D W	Sidereal Time	☉ Long.	☉ Dec.	☽ Long.	☽ Lat.	☽ Dec.	MIDNIGHT ☽ Long.	MIDNIGHT ☽ Dec.
		H. M. S.	° ′ ″	° ′	° ′ ″	° ′	° ′	° ′ ″	° ′
1	S	10 42 2	8 ♍ 54 2	8 N 14	3 ♏ 33 18	4 S 29	16 S 55	9 ♏ 51 15	18 S 45
2	𝔖	10 45 59	9 52 8	7 52	16 4 9	3 51	20 20	22 12 32	21 41
3	M	10 49 55	10 50 16	7 30	28 16 55	3 4	22 46	4 ♐ 17 55	23 35
4	Tu	10 53 52	11 48 25	7 8	10 ♐ 16 11	2 9	24 7	16 12 22	24 23
5	W	10 57 48	12 46 35	6 46	22 7 9	1 10	24 22	28 1 14	24 4
6	Th	11 1 45	13 44 47	6 24	3 ♑ 55 16	0 S 7	23 30	9 ♑ 49 56	22 40
7	F	11 5 41	14 43 0	6 1	15 45 50	0 N 56	21 35	21 43 34	20 16
8	S	11 9 38	15 41 15	5 39	27 43 42	1 57	18 43	3 ♒ 46 42	16 57
9	𝔖	11 13 35	16 39 31	5 16	9 ♒ 53 1	2 53	15 0	16 2 59	12 52
10	M	11 17 31	17 37 49	4 53	22 16 55	3 42	10 36	28 34 59	8 10
11	Tu	11 21 28	18 36 9	4 31	4 ♓ 57 20	4 22	5 38	11 ♓ 23 58	3 S 1
12	W	11 25 24	19 34 30	4 8	17 54 50	4 49	0 S 21	24 29 48	2 N 21
13	Th	11 29 21	20 32 53	3 45	1 ♈ 8 40	5 1	5 N 3	7 ♈ 51 8	7 43
14	F	11 33 17	21 31 18	3 22	14 36 55	4 56	10 19	21 25 40	12 48
15	S	11 37 14	22 29 45	2 59	28 17 2	4 35	15 9	5 ♉ 10 40	17 18
16	𝔖	11 41 10	23 28 15	2 36	12 ♉ 6 14	3 58	19 14	19 3 26	20 54
17	M	11 45 7	24 26 46	2 12	26 2 2	3 6	22 16	3 ♊ 1 48	23 18
18	Tu	11 49 3	25 25 20	1 49	10 ♊ 2 34	2 2	23 59	17 4 12	24 16
19	W	11 53 0	26 23 55	1 26	24 6 36	0 N 51	24 10	1 ♋ 9 40	23 40
20	Th	11 56 57	27 22 33	1 3	8 ♋ 13 18	0 S 23	22 48	15 17 24	21 34
21	F	12 0 53	28 21 14	0 39	22 21 50	1 36	20 0	29 26 24	18 8
22	S	12 4 50	29 ♍ 19 56	0 N 16	6 ♌ 30 51	2 44	16 0	13 ♌ 34 54	13 39
23	𝔖	12 8 46	0 ♎ 18 41	0 S 7	20 38 10	3 40	11 8	27 40 14	8 28
24	M	12 12 43	1 17 28	0 31	4 ♍ 40 37	4 24	5 42	11 ♍ 38 49	2 N 53
25	Tu	12 16 39	2 16 17	0 54	18 34 18	4 51	0 N 4	25 26 35	2 S 44
26	W	12 20 36	3 15 8	1 18	2 ♎ 15 11	5 0	5 S 29	8 ♎ 59 40	8 8
27	Th	12 24 32	4 14 1	1 41	15 39 41	4 53	10 40	22 14 59	13 3
28	F	12 28 29	5 12 56	2 4	28 45 24	4 30	15 15	5 ♏ 10 52	17 14
29	S	12 32 26	6 11 53	2 28	11 ♏ 31 29	3 55	19 0	17 47 22	20 32
30	𝔖	12 36 22	7 ♎ 10 51	2 S 51	23 ♏ 58 47	3 S 8	21 S 48	0 ♐ 6 7	22 S 49

First Quarter—September 4*d.* 3*h.* 23*m.* *p.m.*

FULL MOON—September 12*d.* 3*h.* 17*m.* *p.m.*

D M	Venus Lat. ° ′	Venus Dec. ° ′	Venus Dec. ° ′	Mercury Lat. ° ′	Mercury Dec. ° ′	Mercury Dec. ° ′	☽ Node ° ′
1	0N 7	6 S 11	6 S 41	1N 45	10N 21	9N 36	4♑21
3	0N 1	7 12	7 42	1 41	8 50	8 3	4 15
5	0 S 6	8 12	8 41	1 35	7 17	6 30	4 8
7	0 13	9 11	9 41	1 28	5 42	4 55	4 2
9	0 21	10 10	10 39	1 18	4 8	3 20	3 56
11	0 28	11 8	11 36	1 8	2 33	1 46	3 49
13	0 36	12 5	12 33	0 56	0N 59	0N 12	3 43
15	0 43	13 1	13 28	0 44	0 S 34	1 S 20	3 37
17	0 51	13 56	14 23	0 30	2 6	2 52	3 30
19	0 58	14 49	15 16	0 16	3 37	4 21	3 24
21	1 6	15 42	16 8	0N 2	5 5	5 49	3 18
23	1 14	16 33	16 58	0 S 12	6 32	7 14	3 11
25	1 21	17 23	17 47	0 27	7 56	8 38	3 5
27	1 29	18 11	18 S 34	0 42	9 18	9 S 58	2 59
29	1 37	18 57	—	0 57	10 38	—	2 52
30	1 S 40	19 S 20		1 S 4	11 S 16		2♑49

Mutual Aspects

1. ☿P ♂, △ ♂. [△ ♇.
2. ☉ ☌ ☿, ± ♃. ☿ ± ♃. ♃.
3. ☉P ♀, P ♅.
4. ☿ ⊥ ♀, P ♀. ♀P ♅, ∠ ♆.
5. ☿Q ♄, ⊥ ♅, P ♅. ♀ ☌ ♅. [♃ ∇ ♄.
6. ☉P ☿. ☿ ⚼ ♃.
7. ☉ ⊥ ♅. 8. ☉Q ♄. ☿ ⚺ ♅.
9. ☿Q ♆. 10. ☉ ⚼ ♃. ☿ ⚼ ♂.
11. ♀P ♂. 12. ♀ ⊥ ♆.
14. ☉ ⚺ ♅. ☿ ⚺ ♀. ♄ □ ♇.
15. ☉Q ♆, ☿ ± ♂, △ ♃, □ ♄, [☌ ♇. ♀ □ ♃, P ♇.
16. ☿ ⚹ ♆. ♀ △ ♄, ⚺ ♇.
17. ☉P ☿, ⚼ ♂. ♀ ⚺ ♆.
19. ☿ ∇ ♂. ♂Stat.
21. ♀ ☍ ♂. 22. ♀ ⊥ ♇.
25. ☉ △ ♃. ☿P ♅.
26. ☉ ± ♂. ☿ ∠ ♆.
27. ☉ □ ♄, ☌ ♇. ☿ ☌ ♅.
28. ☉ ⚹ ♆. ♃Stat.
30. ☿P ♂. ♀Q ♃, ⚼ ♄, ∠ ♇.

D M	♆ Long. ° ′	♅ Long. ° ′	♄ Long. ° ′	♃ Long. ° ′	♂ Long. ° ′	♀ Long. ° ′	☿ Long. ° ′	☉	♇	♆	♅	♄	♃	♂	♀	☿
1	4♐44	20♎46	2♋54	3♒27	6♉54	16♎ 0	7♍36	⚹	⚺	⚺		△	□	☍		⚹
2	4 45	20 49	2 59	3 ℞ 22	7 9	17 11	9 32		∠		⚺	⚼			⚺	
3	4 45	20 52	3 4	3 18	7 22	18 22	11 27		⚹				⚹		∠	
4	4 46	20 55	3 8	3 13	7 35	19 33	13 22	□		☌	∠					□
5	4 47	20 58	3 12	3 9	7 48	20 44	15 15				⚹		∠	⚼	⚹	
6	4 47	21 1	3 16	3 4	7 59	21 54	17 7		□	⚺		☍	⚺	△		
7	4 48	21 4	3 21	3 0	8 10	23 5	18 58	△		∠	□					△
8	4 49	21 8	3 25	2 56	8 20	24 16	20 49	⚼	△				☌		□	
9	4 49	21 11	3 29	2 53	8 29	25 27	22 37			⚹				□		⚼
10	4 50	21 14	3 33	2 49	8 37	26 37	24 25		⚼		△	⚼			△	
11	4 51	21 17	3 36	2 46	8 45	27 48	26 12			□	⚼	△	⚺	⚹		
12	4 52	21 21	3 40	2 43	8 52	28♎58	27 57	☍					∠	∠	⚼	
13	4 53	21 24	3 44	2 40	8 58	0♏ 9	29♍42		☍	△		□	⚹			☍
14	4 54	21 28	3 47	2 37	9 3	1 19	1♎25			⚼				⚺		
15	4 55	21 31	3 51	2 34	9 8	2 29	3 7				☍	⚹	□		☍	
16	4 56	21 34	3 54	2 32	9 11	3 39	4 48	⚼	⚼			∠		☌		
17	4 57	21 38	3 57	2 29	9 14	4 49	6 28	△					△			⚼
18	4 58	21 41	4 0	2 27	9 15	5 59	8 7		△	☍	⚼	⚺		⚺		△
19	4 59	21 45	4 3	2 25	9 16	7 9	9 45	□			△		⚼	∠	⚼	
20	5 0	21 48	4 6	2 24	9 ℞ 16	8 19	11 22		□			●		⚹	△	□
21	5 1	21 52	4 9	2 22	9 15	9 29	12 58	⚹		⚼	□					
22	5 2	21 55	4 12	2 21	9 13	10 39	14 33		⚹	△		⚺	☍	□	□	
23	5 3	21 59	4 14	2 20	9 11	11 48	16 7	∠	∠		⚹	∠				⚹
24	5 4	22 3	4 17	2 19	9 7	12 58	17 40	⚺	⚺	□	∠	⚹		△		∠
25	5 6	22 6	4 19	2 18	9 3	14 8	19 12				⚺		⚼	⚼	⚹	⚺
26	5 7	22 10	4 22	2 18	8 57	15 17	20 44	☌	☌	⚹		□	△		∠	
27	5 8	22 13	4 24	2 18	8 51	16 26	22 14			∠					⚺	
28	5 10	22 17	4 26	2 17	8 44	17 36	23 43		⚺	⚺	☌	△	□			☌
29	5 11	22 21	4 28	2 D17	8 36	18 45	25 12	⚺						☍		
30	5♐12	22♎24	4♋30	2♒18	8♉27	19♏54	26♎39	∠	∠		⚺	⚼			☌	⚺

LAST QUARTER—September 19*d.* 4*h.* 11*m.* *p.m.*

New Moon—October 26*d.* 3*h.* 17*m.* *a.m.*

D M	Neptune Lat.	Neptune Dec.	Herschel Lat.	Herschel Dec.	Saturn Lat.	Saturn Dec.	Jupiter Lat.	Jupiter Dec.	Mars Lat.	Mars Dec.	Mars Dec.
	° ′	° ′	° ′	° ′	° ′	° ′	° ′	° ′	° ′	° ′	° ′
1	1 N 34	19 S 38	0 N 34	8 S 13	1 S 5	22 N 17	0 S 47	20 S 24	3 S 3	11 N 23	11 N 22
3	1 34	19 38	0 34	8 16	1 5	22 17	0 47	20 24	2 58	11 20	11 19
5	1 34	19 39	0 34	8 19	1 5	22 17	0 47	20 23	2 53	11 17	11 15
7	1 34	19 39	0 34	8 21	1 5	22 17	0 46	20 23	2 48	11 13	11 10
9	1 34	19 40	0 34	8 24	1 5	22 17	0 46	20 22	2 43	11 8	11 5
11	1 34	19 41	0 34	8 27	1 5	22 17	0 46	20 20	2 37	11 3	11 0
13	1 34	19 41	0 34	8 30	1 5	22 16	0 46	20 19	2 31	10 57	10 54
15	1 33	19 42	0 34	8 33	1 5	22 16	0 46	20 18	2 25	10 51	10 47
17	1 33	19 43	0 34	8 35	1 5	22 16	0 46	20 16	2 18	10 44	10 41
19	1 33	19 43	0 34	8 38	1 5	22 16	0 46	20 14	2 11	10 37	10 34
21	1 33	19 44	0 34	8 41	1 5	22 16	0 46	20 12	2 4	10 30	10 27
23	1 33	19 45	0 34	8 44	1 5	22 16	0 46	20 10	1 57	10 24	10 20
25	1 33	19 46	0 34	8 47	1 5	22 16	0 46	20 7	1 49	10 17	10 13
27	1 33	19 46	0 34	8 49	1 5	22 16	0 46	20 5	1 41	10 10	10 7
29	1 33	19 47	0 34	8 52	1 5	22 16	0 45	20 2	1 33	10 4	10 N 1
31	1 N 33	19 S 48	0 N 34	8 S 55	1 S 5	22 N 16	0 S 45	19 S 59	1 S 26	9 N 58	

D M	D W	Sidereal Time	☉ Long.	☉ Dec.	☽ Long.	☽ Lat.	☽ Dec.	MIDNIGHT ☽ Long.	MIDNIGHT ☽ Dec.
		H. M. S.	° ′ ″	° ′	° ′ ″	° ′	° ′	° ′ ″	° ′
1	M	12 40 19	8 ♎ 9 52	3 S 14	6 ♐ 9 46	2 S 14	23 S 32	12 ♐ 10 16	23 S 59
2	Tu	12 44 15	9 8 55	3 38	18 8 9	1 15	24 9	24 4 3	24 2
3	W	12 48 12	10 7 59	4 1	29 58 37	0 S 12	23 39	5 ♑ 52 31	23 0
4	Th	12 52 8	11 7 5	4 24	11 ♑ 46 28	0 N 50	22 6	17 41 7	20 57
5	F	12 56 5	12 6 13	4 47	23 37 13	1 50	19 34	29 35 24	17 58
6	S	13 0 1	13 5 22	5 10	5 ♒ 36 20	2 47	16 11	11 ♒ 40 39	14 12
7	𝔖	13 3 58	14 4 33	5 33	17 48 52	3 37	12 3	24 1 31	9 46
8	M	13 7 55	15 3 46	5 56	0 ♓ 18 59	4 17	7 21	6 ♓ 41 37	4 S 49
9	Tu	13 11 51	16 3 1	6 19	13 9 37	4 46	2 S 13	19 43 5	0 N 27
10	W	13 15 48	17 2 18	6 42	26 22 0	5 0	3 N 9	3 ♈ 6 13	5 51
11	Th	13 19 44	18 1 37	7 4	9 ♈ 55 28	4 58	8 30	16 49 22	11 5
12	F	13 23 41	19 0 58	7 27	23 47 25	4 39	13 33	0 ♉ 49 3	15 52
13	S	13 27 37	20 0 20	7 49	7 ♉ 53 39	4 3	17 58	15 0 32	19 49
14	𝔖	13 31 34	20 59 45	8 12	22 9 3	3 11	21 23	29 18 34	22 36
15	M	13 35 30	21 59 13	8 34	6 ♊ 28 30	2 6	23 28	13 ♊ 38 18	23 57
16	Tu	13 39 27	22 58 42	8 56	20 47 32	0 N 54	24 1	27 55 49	23 42
17	W	13 43 24	23 58 14	9 18	5 ♋ 2 52	0 S 22	22 59	12 ♋ 8 28	21 54
18	Th	13 47 20	24 57 48	9 40	19 12 28	1 36	20 29	26 14 43	18 46
19	F	13 51 17	25 57 25	10 2	3 ♌ 15 10	2 43	16 47	10 ♌ 13 45	14 35
20	S	13 55 13	26 57 3	10 23	17 10 24	3 40	12 11	24 5 2	9 39
21	𝔖	13 59 10	27 56 44	10 45	0 ♍ 57 33	4 24	7 1	7 ♍ 47 51	4 N 18
22	M	14 3 6	28 56 28	11 6	14 35 47	4 52	1 N 34	21 21 9	1 S 10
23	Tu	14 7 3	29 ♎ 56 13	11 27	28 3 47	5 4	3 S 53	4 ♎ 43 28	6 31
24	W	14 10 59	0 ♏ 56 0	11 48	11 ♎ 20 1	4 59	9 4	17 53 12	11 29
25	Th	14 14 56	1 55 50	12 9	24 22 52	4 38	13 45	0 ♏ 48 53	15 51
26	F	14 18 52	2 55 42	12 29	7 ♏ 11 9	4 4	17 45	13 29 39	19 25
27	S	14 22 49	3 55 35	12 50	19 44 24	3 18	20 51	25 55 29	22 1
28	𝔖	14 26 46	4 55 31	13 10	2 ♐ 3 5	2 23	22 55	8 ♐ 7 27	23 32
29	M	14 30 42	5 55 28	13 30	14 8 51	1 23	23 53	20 7 40	23 56
30	Tu	14 34 39	6 55 27	13 50	26 4 21	0 S 20	23 43	1 ♑ 59 22	23 14
31	W	14 38 35	7 ♏ 55 28	14 S 9	7 ♑ 53 16	0 N 44	22 S 29	13 ♑ 46 36	21 S 29

First Quarter—October 4*d.* 10*h.* 33*m.* *a.m.*

D M	Venus Lat. ° ′	Venus Dec. ° ′	Venus Dec. ° ′	Mercury Lat. ° ′	Mercury Dec. ° ′	Mercury Dec. ° ′	☽ Node ° ′
1	1 S 44	19 S 42		1 S 11	11 S 54		2 ♑ 46
			20 S 4			12 S 32	
3	1 52	20 25		1 26	13 8		2 40
			20 46			13 44	
5	1 59	21 6		1 40	14 19		2 33
			21 26			14 53	
7	2 6	21 45		1 53	15 26		2 27
			22 4			15 58	
9	2 13	22 22		2 6	16 30		2 20
			22 39			17 0	
11	2 20	22 56		2 19	17 29		2 14
			23 13			17 57	
13	2 27	23 29		2 30	18 25		2 8
			23 45			18 51	
15	2 33	23 59		2 40	19 15		2 1
			24 14			19 39	
17	2 39	24 27		2 49	20 1		1 55
			24 40			20 22	
19	2 45	24 53		2 56	20 41		1 49
			25 5			20 59	
21	2 51	25 16		3 1	21 15		1 42
			25 26			21 30	
23	2 56	25 36		3 4	21 42		1 36
			25 46			21 53	
25	3 1	25 54		3 4	22 1		1 30
			26 3			22 7	
27	3 5	26 10		3 0	22 11		1 23
			26 17			22 12	
29	3 9	26 23		2 51	22 10		1 17
			26 S 28			22 S 4	
31	3 S 13	26 S 33		2 S 38	21 S 56		1 ♑ 11

Mutual Aspects

1. ☉∇♂. ♀P♆.
2. ☿⊥♆. ♀⚺♅.
3. ☿P♇. ♀P♃.
4. ☿□♃.
6. ☿△♄, ⚺♆, ⚺♇.
7. ☿☍♂. ♄□♇.
8. ♀±♄, ⊥♅.
9. ♀P♄. 10. ☿⊥♇.
11. ♀⚹♃.
13. ♀∇♂, ∇♄, ⚹♇. ♂∇♆.
14. ☉∠♆. ♀☌♆. ♂∇♇.
15. ☉∠♀, P♅ ♂⚹♄.
16. ☉☌♅. ☿P♆. ♀∠♅.
17. ♄Stat.
18. ☿P♃, ⚼♄. ♀±♂.
19. ☿∠♇.
20. ☉P♂. ☿Q♃. ♂□♃.
23. ☉⊥♆. ☿⚺♅.
24. ♀⚼♂, Q♇.
25. ☉☍♂. ♀∠♃.
26. ☉P♇. 27. ☉□♃.
28. ☉△♄.
29. ☉⚺♆, ⚺♇. ♂±♆.
30. ☿Stat. 31. ♀⚹♅.

D M	♆ Long. ° ′	♅ Long. ° ′	♄ Long. ° ′	♃ Long. ° ′	♂ Long. ° ′	♀ Long. ° ′	☿ Long. ° ′	☉	♇	♆	♅	♄	♃	♂	♀	☿
1	5 ♐ 14	22 ♎ 28	4 ♋ 32	2 ♒ 18	8 ♉ 17	21 ♏ 3	28 ♎ 5	⚹	⚹	☌	∠		⚹			
2	5 15	22 32	4 33	2 19	8 ℞ 6	22 12	29 ♎ 31				⚹		∠	⚼	⚺	∠
3	5 17	22 35	4 35	2 20	7 55	23 21	0 ♏ 56		□	⚺		☍	⚺			⚹
4	5 18	22 39	4 36	2 21	7 43	24 29	2 19	□						△	∠	
5	5 19	22 43	4 38	2 22	7 30	25 38	3 41			∠	□				⚹	
6	5 21	22 47	4 39	2 24	7 16	26 46	5 3		△	⚹			☌	□		□
7	5 23	22 50	4 40	2 25	7 2	27 55	6 23	△	⚼		△	⚼				
8	5 24	22 54	4 41	2 27	6 47	29 ♏ 3	7 42	⚼		□		△	⚺	⚹	□	
9	5 26	22 58	4 42	2 29	6 32	0 ♐ 11	9 0				⚼		∠			△
10	5 27	23 2	4 43	2 31	6 15	1 19	10 16						⚹	∠	△	⚼
11	5 29	23 5	4 43	2 34	5 59	2 27	11 31		☍	△		□		⚺		
12	5 31	23 9	4 44	2 37	5 41	3 35	12 45	☍		⚼	☍				⚼	
13	5 32	23 13	4 44	2 39	5 24	4 42	13 57					⚹	□	☌		☍
14	5 34	23 17	4 45	2 42	5 5	5 50	15 7		⚼			∠				
15	5 36	23 21	4 45	2 46	4 47	6 57	16 16	⚼	△	☍	⚼	⚺	△	⚺	☍	
16	5 38	23 24	4 45	2 49	4 28	8 4	17 22	△			△		⚼	∠		
17	5 39	23 28	4 ℞ 45	2 52	4 8	9 11	18 26		□			●		⚹		⚼
18	5 41	23 32	4 45	2 56	3 49	10 18	19 28	□		⚼	□				⚼	△
19	5 43	23 36	4 45	3 0	3 29	11 25	20 27		⚹	△		⚺	☍	□		
20	5 45	23 39	4 45	3 4	3 9	12 31	21 23		∠		⚹	∠			△	□
21	5 47	23 43	4 44	3 9	2 48	13 38	22 16	⚹	⚺	□		⚹		△		
22	5 49	23 47	4 44	3 13	2 28	14 44	23 5	∠			∠		⚼	⚼	□	
23	5 50	23 51	4 43	3 18	2 8	15 50	23 50	⚺			⚺	□	△			⚹
24	5 52	23 55	4 42	3 23	1 48	16 56	24 31		☌	⚹					⚹	∠
25	5 54	23 58	4 41	3 28	1 27	18 2	25 7			∠	☌					⚺
26	5 56	24 2	4 40	3 33	1 7	10 7	25 38	☌	⚺	⚺		△	□	☍	∠	
27	5 58	24 6	4 39	3 38	0 48	20 13	26 3		∠		⚺	⚼			⚺	
28	6 0	24 10	4 38	3 44	0 28	21 18	26 21	⚺	⚹	☌			⚹			●
29	6 2	24 13	4 37	3 49	0 ♉ 9	22 23	26 33				∠		∠	⚼		
30	6 4	24 17	4 35	3 55	29 ♈ 50	23 27	26 ℞ 36	∠			⚹			△	☌	⚺
31	6 ♐ 6	24 ♎ 21	4 ♋ 34	4 ♒ 1	29 ♈ 31	24 ♐ 32	26 ♏ 31	⚹	□	⚺		☍	⚺			∠

(Columns ☉ to ☿ at right: Lunar Aspects)

New Moon—November 24*d.* 7*h.* 56*m.* *p.m.*

D M	Neptune Lat. ° '	Neptune Dec. ° '	Herschel Lat. ° '	Herschel Dec. ° '	Saturn Lat. ° '	Saturn Dec. ° '	Jupiter Lat. ° '	Jupiter Dec. ° '	Mars Lat. ° '	Mars Dec. ° '	Mars Dec. ° '
1	1 N 33	19 S 48	0 N 34	8 S 56	1 S 5	22 N 17	0 S 45	19 S 58	1 S 22	9 N 55	9 N 53
3	1 33	19 49	0 34	8 59	1 5	22 17	0 45	19 55	1 14	9 50	9 48
5	1 33	19 50	0 34	9 2	1 5	22 17	0 45	19 51	1 6	9 46	9 44
7	1 33	19 51	0 34	9 4	1 5	22 17	0 45	19 48	0 59	9 42	9 41
9	1 33	19 51	0 34	9 7	1 5	22 17	0 45	19 44	0 52	9 39	9 38
11	1 33	19 52	0 34	9 9	1 5	22 17	0 45	19 40	0 44	9 37	9 36
13	1 33	19 53	0 34	9 12	1 5	22 17	0 45	19 36	0 37	9 36	9 36
15	1 33	19 54	0 34	9 14	1 5	22 18	0 45	19 32	0 30	9 36	9 36
17	1 33	19 54	0 34	9 17	1 5	22 18	0 45	19 28	0 24	9 36	9 37
19	1 33	19 55	0 34	9 19	1 5	22 18	0 45	19 23	0 17	9 38	9 39
21	1 33	19 56	0 34	9 22	1 5	22 18	0 45	19 19	0 11	9 40	9 42
23	1 33	19 57	0 34	9 24	1 5	22 18	0 44	19 14	0 S 5	9 44	9 46
25	1 33	19 58	0 34	9 27	1 5	22 19	0 44	19 9	0 N 1	9 48	9 51
27	1 33	19 58	0 34	9 29	1 5	22 19	0 44	19 4	0 7	9 54	9 N 57
29	1 33	19 59	0 34	9 31	1 5	22 19	0 44	18 59	0 12	10 0	—
30	1 N 33	19 S 59	0 N 34	9 S 32	1 S 5	22 N 19	0 S 44	18 S 56	0 N 14	10 N 4	

D M	D W	Sidereal Time H. M. S.	☉ Long. ° ' "	☉ Dec. ° '	☽ Long. ° ' "	☽ Lat. ° '	☽ Dec. ° '	MIDNIGHT ☽ Long. ° ' "	MIDNIGHT ☽ Dec. ° '
1	Th	14 42 32	8 ♏ 55 30	14 S 28	19 ♑ 40 1	1 N 45	20 S 16	25 ♑ 34 8	18 S 49
2	F	14 46 28	9 55 34	14 48	1 ♒ 29 37	2 43	17 11	7 ♒ 27 9	15 21
3	S	14 50 25	10 55 40	15 6	13 27 23	3 34	13 22	19 31 0	11 13
4	𝔖	14 54 21	11 55 47	15 25	25 38 38	4 16	8 57	1 ♓ 50 53	6 33
5	M	14 58 18	12 55 56	15 43	8 ♓ 8 18	4 48	4 S 4	14 31 21	1 S 30
6	Tu	15 2 15	13 56 6	16 1	21 0 25	5 6	1 N 7	27 35 46	3 N 46
7	W	15 6 11	14 56 18	16 19	4 ♈ 17 35	5 8	6 25	11 ♈ 5 51	9 2
8	Th	15 10 8	15 56 31	16 37	18 0 26	4 53	11 35	25 1 1	14 1
9	F	15 14 4	16 56 46	16 54	2 ♉ 7 11	4 20	16 17	9 ♉ 18 18	18 21
10	S	15 18 1	17 57 3	17 11	16 33 39	3 30	20 9	23 52 23	21 38
11	𝔖	15 21 57	18 57 21	17 28	1 ♊ 13 36	2 26	22 47	8 ♊ 36 21	23 32
12	M	15 25 54	19 57 41	17 44	15 59 43	1 N 11	23 53	23 22 47	23 48
13	Tu	15 29 50	20 58 3	18 0	0 ♋ 44 43	0 S 9	23 17	8 ♋ 4 46	22 23
14	W	15 33 47	21 58 27	18 16	15 22 18	1 28	21 6	22 36 47	19 29
15	Th	15 37 44	22 58 53	18 31	29 47 50	2 40	17 35	6 ♌ 55 8	15 27
16	F	15 41 40	23 59 21	18 46	13 ♌ 58 30	3 41	13 6	20 57 49	10 37
17	S	15 45 37	24 59 50	19 1	27 53 2	4 28	8 1	4 ♍ 44 12	5 N 21
18	𝔖	15 49 33	26 0 21	19 16	11 ♍ 31 21	4 58	2 N 39	18 14 36	0 S 4
19	M	15 53 30	27 0 54	19 30	24 54 1	5 12	2 S 45	1 ♎ 29 45	5 22
20	Tu	15 57 26	28 1 29	19 43	8 ♎ 1 54	5 9	7 55	14 30 35	10 21
21	W	16 1 23	29 ♏ 2 6	19 57	20 55 54	4 50	12 39	27 17 57	14 47
22	Th	16 5 19	0 ♐ 2 44	20 10	3 ♏ 36 51	4 17	16 45	9 ♏ 52 41	18 31
23	F	16 9 16	1 3 24	20 22	16 5 33	3 33	20 3	22 15 34	21 21
24	S	16 13 13	2 4 5	20 35	28 22 51	2 39	22 23	4 ♐ 27 35	23 9
25	𝔖	16 17 9	3 4 48	20 47	10 ♐ 29 54	1 38	23 39	16 30 0	23 51
26	M	16 21 6	4 5 32	20 58	22 28 8	0 S 34	23 47	28 24 34	23 27
27	Tu	16 25 2	5 6 17	21 9	4 ♑ 19 37	0 N 32	22 51	10 ♑ 13 36	21 59
28	W	16 28 59	6 7 4	21 20	16 6 56	1 35	20 54	22 0 1	19 35
29	Th	16 32 55	7 7 52	21 30	27 53 20	2 35	18 3	3 ♒ 47 23	16 21
30	F	16 36 52	8 ♐ 8 40	21 S 40	9 ♒ 42 41	3 N 28	14 S 28	15 ♒ 39 49	12 S 27

First Quarter—November 3*d.* 6*h.* 30*m.* *a.m.*

Full Moon—November 10*d.* 2*h.* 27*m.* *p.m.*

D M	Venus Lat.	Venus Dec.	Venus Dec.	Mercury Lat.	Mercury Dec.	Mercury Dec.	☽ Node
	° ′	° ′	° ′	° ′	° ′	° ′	° ′
1	3 S 15	26 S 37	26 S 41	2 S 29	21 S 44	21 S 28	1 ♑ 7
3	3 18	26 43	26 46	2 5	21 8	20 44	1 1
5	3 20	26 47	26 48	1 35	20 16	19 45	0 55
7	3 22	26 48	26 48	1 0	19 9	18 30	0 48
9	3 24	26 47	26 45	0 S 20	17 50	17 8	0 42
11	3 25	26 43	26 40	0 N 21	16 26	15 45	0 36
13	3 25	26 37	26 33	1 0	15 7	14 32	0 29
15	3 25	26 28	26 23	1 32	14 1	13 36	0 23
17	3 24	26 17	26 10	1 58	13 15	13 0	0 17
19	3 22	26 3	25 56	2 15	12 51	12 47	0 10
21	3 19	25 48	25 39	2 25	12 49	12 54	0 ♑ 4
23	3 16	25 30	25 21	2 28	13 2	13 15	29 ♐ 57
25	3 12	25 11	25 0	2 27	13 30	13 48	29 51
27	3 7	24 49	24 S 38	2 22	14 8	14 S 31	29 45
29	3 1	24 26	—	2 13	14 54	—	29 38
30	2 S 58	24 S 14		2 N 8	15 S 18		29 ♐ 35

Mutual Aspects

1. ☿⊻♀. [⊥♃. ♃▽♄.
4. ☉⊥♇. ☿⊻♅. ♀△♂,
5. ☿⊥♀.
6. ☿Q & P♃, P♆. ♃P♆.
8. ☿∠♇.
9. ☿∠♀, ⚼♄. ♀☍♄.
10. ☉☌ &P ☿. ♀⊻♃.
11. ☉⚼♄. ♀⊻♆, □♇.
12. ♀Q♅. 13. ☉∠♇.
15. ☿⊥♇.
16. ☉Q♃. ☿✱♀. ♃△♇.
17. ☉⊻♅.
18. ☉▽♂. ♀⊥♆.
19. ☉P♃. ☿Stat.
20. ☉±♄. ♂☍♅.
21. ☉P♆. 22. ♃✱♆.
23. ☉±♂.
24. ☉⊥♅. ☿⊥♇.
25. ☉▽♄. ♂Stat.
28. ☉✱♇. ♀∠♆.
29. ☉☌♆.
30. ☉✱♃. ☿⚼♄.

D M	♆ Long.	♅ Long.	♄ Long.	♃ Long.	♂ Long.	♀ Long.	☿ Long.	☉	♇	♆	♅	♄	♃	♂	♀	☿
	° ′	° ′	° ′	° ′	° ′	° ′	° ′									
1	6 ♐ 8	24 ♎ 24	4 ♋ 32	4 ♒ 8	29 ♈ 13	25 ♐ 36	26 ♏ 18			∠	□					
2	6 10	24 28	4 ℞ 30	4 14	28 ℞ 56	26 40	25 ℞ 55		△	✱			☌	□	⊻	✱
3	6 13	24 32	4 29	4 20	28 38	27 43	25 22	□				⚼			∠	
4	6 15	24 35	4 27	4 27	28 22	28 47	24 40		⚼		△			✱	✱	□
5	6 17	24 39	4 25	4 34	28 6	29 ♐ 50	23 48	△		□	⚼	△	⊻	∠		
6	6 19	24 43	4 22	4 41	27 50	0 ♑ 53	22 48						∠			△
7	6 21	24 46	4 20	4 48	27 36	1 56	21 40	⚼	☍	△		□	✱	⊻	□	⚼
8	6 23	24 50	4 18	4 55	27 22	2 58	20 27			⚼	☍					
9	6 25	24 54	4 15	5 3	27 8	4 0	19 8					✱	□	☌	△	
10	6 27	24 57	4 13	5 11	26 55	5 2	17 48	☍	⚼			∠			⚼	☍
11	6 30	25 1	4 10	5 18	26 44	6 3	16 30		△	☍		⊻	△	⊻		
12	6 32	25 4	4 7	5 26	26 32	7 4	15 14				⚼		⚼	∠		
13	6 34	25 8	4 5	5 34	26 22	8 4	14 4	⚼	□		△	●		✱		⚼
14	6 36	25 11	4 2	5 42	26 12	9 5	13 2	△		⚼					☍	△
15	6 38	25 15	3 59	5 51	26 3	10 4	12 10		✱	△	□	⊻	☍	□		
16	6 41	25 18	3 55	5 59	25 55	11 4	11 28					∠				□
17	6 43	25 22	3 52	6 8	25 48	12 3	10 58	□	∠		✱	✱		△	⚼	
18	6 45	25 25	3 49	6 17	25 41	13 1	10 40		⊻	□	∠			⚼	△	✱
19	6 47	25 28	3 46	6 26	25 36	13 59	10 33	✱			⊻		⚼			∠
20	6 49	25 32	3 42	6 35	25 31	14 57	10 D38	∠	☌	✱		□	△			⊻
21	6 52	25 35	3 39	6 44	25 27	15 54	10 53			∠	☌			☍	□	
22	6 54	25 38	3 35	6 53	25 23	16 51	11 17	⊻	⊻	⊻		△	□			
23	6 56	25 42	3 31	7 3	25 21	17 47	11 50		∠			⚼			✱	☌
24	6 58	25 45	3 27	7 12	25 19	18 42	12 31	☌			⊻				∠	
25	7 1	25 48	3 23	7 22	25 18	19 37	13 19		✱	☌	∠		✱	⚼		⊻
26	7 3	25 51	3 20	7 32	25 D18	20 32	14 13				✱		∠	△	⊻	
27	7 5	25 54	3 16	7 41	25 19	21 25	15 12	⊻	□	⊻		☍	⊻			∠
28	7 7	25 58	3 11	7 51	25 21	22 18	16 16	∠								✱
29	7 10	26 1	3 7	8 2	25 23	23 11	17 24			∠	□			□	☌	
30	7 ♐ 12	26 ♎ 4	3 ♋ 3	8 ♒ 12	25 ♈ 26	24 ♑ 2	18 ♏ 35	✱	△	✱			☌			

Last Quarter—November 17*d.* 6*h.* 35*m.* *a.m.*

New Moon—December 24*d.* 3*h.* 8*m.* *p.m.*

D M	Neptune Lat.	Neptune Dec.	Herschel Lat.	Herschel Dec.	Saturn Lat.	Saturn Dec.	Jupiter Lat.	Jupiter Dec.	Mars Lat.	Mars Dec.	Mars Dec.
	° ′	° ′	° ′	° ′	° ′	° ′	° ′	° ′	° ′	° ′	° ′
1	1N33	20S 0	0N34	9S33	1S 5	22N20	0S44	18S53	0N17	10N 8	10N11
3	1 33	20 0	0 34	9 35	1 5	22 20	0 44	18 48	0 22	10 16	10 20
5	1 33	20 1	0 34	9 37	1 5	22 20	0 44	18 42	0 26	10 25	10 29
7	1 33	20 2	0 34	9 39	1 5	22 20	0 44	18 36	0 30	10 34	10 40
9	1 33	20 3	0 34	9 41	1 5	22 21	0 44	18 30	0 35	10 45	10 51
11	1 33	20 3	0 34	9 43	1 4	22 21	0 44	18 24	0 39	10 56	11 2
13	1 33	20 4	0 34	9 45	1 4	22 21	0 44	18 18	0 42	11 8	11 15
15	1 33	20 5	0 34	9 47	1 4	22 22	0 44	18 11	0 46	11 21	11 28
17	1 33	20 5	0 34	9 49	1 4	22 22	0 44	18 5	0 49	11 34	11 41
19	1 33	20 6	0 34	9 50	1 4	22 22	0 44	17 58	0 52	11 48	11 55
21	1 33	20 7	0 34	9 52	1 4	22 23	0 44	17 51	0 55	12 2	12 10
23	1 33	20 7	0 35	9 53	1 3	22 23	0 44	17 44	0 58	12 17	12 25
25	1 33	20 8	0 35	9 55	1 3	22 23	0 44	17 37	1 1	12 32	12 41
27	1 33	20 9	0 35	9 56	1 3	22 23	0 44	17 30	1 3	12 49	12 57
29	1 33	20 9	0 35	9 58	1 3	22 24	0 44	17 22	1 6	13 5	13N13
31	1N33	20S10	0N35	9S59	1S 2	22N24	0S44	17S15	1N 8	13N21	

D M	D W	Sidereal Time	☉ Long.	☉ Dec.	☽ Long.	☽ Lat.	☽ Dec.	MIDNIGHT ☽ Long.	MIDNIGHT ☽ Dec.
		H. M. S.	° ′ ″	° ′	° ′ ″	° ′	° ′	° ′ ″	° ′
1	S	16 40 49	9 ♐ 9 30	21S50	21♒39 20	4N13	10S18	27♒41 51	8S 1
2	𝔖	16 44 45	10 10 20	21 59	3♓47 58	4 47	5 39	9♓58 17	3S12
3	M	16 48 42	11 11 12	22 7	16 13 23	5 9	0S41	22 33 49	1N52
4	Tu	16 52 38	12 12 3	22 16	29 0 4	5 17	4N27	5♈32 35	7 1
5	W	16 56 35	13 12 56	22 23	12♈11 43	5 8	9 33	18 57 41	12 0
6	Th	17 0 31	14 13 50	22 31	25 50 37	4 42	14 22	2♉50 28	16 34
7	F	17 4 28	15 14 45	22 38	9♉57 2	3 58	18 34	17 9 56	20 19
8	S	17 8 24	16 15 40	22 44	24 28 36	2 58	21 46	1♊52 19	22 52
9	𝔖	17 12 21	17 16 36	22 50	9♊20 12	1 45	23 35	16 51 14	23 52
10	M	17 16 18	18 17 33	22 56	24 24 20	0N23	23 43	1♋58 19	23 7
11	Tu	17 20 14	19 18 31	23 1	9♋32 1	1S 1	22 6	17 4 19	20 41
12	W	17 24 11	20 19 30	23 5	24 34 9	2 20	18 55	2♌ 0 34	16 52
13	Th	17 28 7	21 20 30	23 10	9♌22 46	3 28	14 34	16 40 4	12 4
14	F	17 32 4	22 21 31	23 13	23 51 59	4 22	9 27	0♍58 10	6 44
15	S	17 36 0	23 22 33	23 17	7♍58 25	4 58	3N58	14 52 41	1N12
16	𝔖	17 39 57	24 23 36	23 19	21 41 0	5 16	1S32	28 23 33	4S13
17	M	17 43 53	25 24 40	23 22	5♎ 0 34	5 16	6 49	11♎32 19	9 19
18	Tu	17 47 50	26 25 45	23 24	17 59 10	5 0	11 41	24 21 26	13 53
19	W	17 51 47	27 26 50	23 25	0♏39 32	4 30	15 55	6♏53 50	17 45
20	Th	17 55 43	28 27 57	23 26	13 4 42	3 47	19 22	19 12 29	20 46
21	F	17 59 40	29 ♐ 29 4	23 26	25 17 33	2 55	21 55	1 ♐ 20 13	22 49
22	S	18 3 36	0♑30 12	23 27	7 ♐ 20 49	1 56	23 26	13 19 37	23 48
23	𝔖	18 7 33	1 31 20	23 26	19 16 54	0S52	23 52	25 12 57	23 40
24	M	18 11 29	2 32 29	23 25	1♑ 8 1	0N14	23 12	7♑ 2 21	22 29
25	Tu	18 15 26	3 33 38	23 24	12 56 14	1 19	21 30	18 49 54	20 18
26	W	18 19 22	4 34 48	23 22	24 43 37	2 20	18 53	0♒37 42	17 16
27	Th	18 23 19	5 35 58	23 19	6♒32 27	3 16	15 29	12 28 11	13 32
28	F	18 27 16	6 37 7	23 17	18 25 14	4 3	11 27	24 24 1	9 15
29	S	18 31 12	7 38 17	23 13	0♓24 55	4 40	6 57	6♓28 22	4S35
30	𝔖	18 35 9	8 39 27	23 10	12 34 48	5 5	2S 8	18 44 42	0N21
31	M	18 39 5	9♑40 37	23S 5	24♓58 33	5N17	2N51	1♈16 49	5N21

First Quarter—December 3*d.* 1*h.* 29*m.* *a.m.*

FULL MOON—December 10*d.* 1*h.* 34*m.* *a.m.*

D M	Venus Lat. ° ′	Venus Dec. ° ′	Venus Dec. ° ′	Mercury Lat. ° ′	Mercury Dec. ° ′	Mercury Dec. ° ′	☽ Node ° ′
1	2 S 54	24 S 1	23 S 48	2N 3	15 S 44	16 S 10	29 ♐ 32
3	2 47	23 35	23 21	1 50	16 36	17 3	29 26
5	2 38	23 7	22 53	1 37	17 29	17 56	29 19
7	2 28	22 38	22 23	1 23	18 22	18 48	29 13
9	2 17	22 8	21 53	1 8	19 13	19 38	29 7
11	2 5	21 37	21 21	0 53	20 2	20 26	29 0
13	1 52	21 5	20 49	0 39	20 49	21 11	28 54
15	1 38	20 33	20 17	0 24	21 32	21 52	28 48
17	1 21	20 1	19 44	0N 9	22 11	22 30	28 41
19	1 4	19 28	19 11	0 S 5	22 47	23 3	28 35
21	0 45	18 55	18 39	0 19	23 18	23 32	28 29
23	0 25	18 22	18 6	0 32	23 44	23 56	28 22
25	0 S 4	17 50	17 34	0 45	24 6	24 15	28 16
27	0N 20	17 18	17 3	0 57	24 23	24 30	28 9
29	0 44	16 47	16 S 32	1 9	24 35	24 S 39	28 23
31	1N 10	16 S 18		1 S 19	24 S 41		27 ♐ 57

Mutual Aspects

2. ☉⚼♂. ☿∠♇. ♀□♂.
3. ☉∠♅. ♀□♅. ♃±♄.
5. ☉∠♀, P♄.
6. ☿▽♂, ±♄, ⚺♅.
7. ☉P♀. ☿Q & P♃.
8. ♀P♄.
9. ☿⚹♀. ♂☍♅.
10. ☉Q♇. ☿±♂, ▽♄, ⊥♅.
11. ☿P♆. ♀▽♄.
13. ☿P♀, ⚹♇. 14. ☿☌♆.
16. ☿⚹♃, ∠♅.
17. ☿⚼♂. ♀P♆.
18. ☉∠♃, ⚹♅. ☿P♄. ♀△♇.
19. ♀±♄. 20. ♀⚹♆.
21. ☉△♂. ☿Q♇.
22. ☉P☿. 23. ☉☍♄.
25. ☿∠♀. ♂P♇.
26. ☿⚹♅. ♀P♃.
27. ☿∠♃. ♂⚹♄.
28. ☉□♇.
29. ☉⊥♃. ☿△♂, ☍♄.
30. ☉⚺♆.
31. ☉Q♅. ☿⊥♀. ♂±♆.

D M	♆ Long. ° ′	♅ Long. ° ′	♄ Long. ° ′	♃ Long. ° ′	♂ Long. ° ′	♀ Long. ° ′	☿ Long. ° ′	☉	♇	♆	♅	♄	♃	♂	♀	☿
								Lunar Aspects								
1	7 ♐ 14	26 ♎ 7	2 ♋ 59	8 ♒ 22	25 ♈ 30	24 ♑ 53	19 ♏ 50		⚼		△	⚼		⚹	⚺	□
2	7 16	26 10	2 ℞ 54	8 33	25 35	25 44	21 7			□		△	⚺			
3	7 19	26 13	2 50	8 43	25 40	26 33	22 26	□			⚼			∠	∠	
4	7 21	26 16	2 46	8 54	25 47	27 22	23 47					□	∠	⚺	⚹	△
5	7 23	26 18	2 41	9 5	25 54	28 9	25 10	△	☍	△			⚹			⚼
6	7 26	26 21	2 37	9 16	26 1	28 56	26 34	⚼		⚼	☍	⚹		☌	□	
7	7 28	26 24	2 32	9 27	26 9	29 ♑ 42	27 59						□			
8	7 30	26 27	2 27	9 38	26 18	0 ♒ 27	29 ♏ 26		⚼			∠		⚺	△	☍
9	7 32	26 30	2 23	9 49	26 28	1 11	0 ♐ 53		△	☍	⚼	⚺	△	∠	⚼	
10	7 34	26 32	2 18	10 1	26 38	1 53	2 21	☍			△		⚼	⚹		
11	7 37	26 35	2 13	10 12	26 49	2 35	3 49		□			☌				
12	7 39	26 38	2 8	10 24	27 1	3 15	5 18			⚼	□			□		⚼
13	7 41	26 40	2 4	10 35	27 13	3 55	6 48	⚼	⚹	△		⚺	☍		☍	△
14	7 43	26 43	1 59	10 47	27 26	4 33	8 18	△	∠		⚹	∠		△		
15	7 46	26 45	1 54	10 59	27 39	5 9	9 48		⚺	□	∠	⚹		⚼		□
16	7 48	26 48	1 49	11 10	27 53	5 45	11 19	□			⚺		⚼		⚼	
17	7 50	26 50	1 44	11 22	28 7	6 19	12 50		☌	⚹		□	△		△	
18	7 52	26 52	1 39	11 34	28 22	6 51	14 21			∠						⚹
19	7 54	26 55	1 34	11 47	28 38	7 22	15 53	⚹	⚺		☌	△		☍		∠
20	7 56	26 57	1 29	11 59	28 54	7 52	17 25	∠		⚺		⚼	□		□	⚺
21	7 58	26 59	1 24	12 11	29 10	8 20	18 57	⚺	∠		⚺					
22	8 1	27 1	1 19	12 24	29 27	8 46	20 29		⚹	☌	∠		⚹		⚹	
23	8 3	27 4	1 14	12 36	29 ♈ 45	9 10	22 1							⚼	∠	☌
24	8 5	27 6	1 9	12 49	0 ♉ 3	9 33	23 34	☌	□		⚹	☍	∠	△		
25	8 7	27 8	1 5	13 1	0 21	9 53	25 7			⚺			⚺		⚺	
26	8 9	27 10	1 0	13 14	0 41	10 12	26 40			∠	□					⚺
27	8 11	27 12	0 55	13 27	1 0	10 28	28 14	⚺	△	⚹				□	☌	
28	8 13	27 14	0 50	13 39	1 20	10 43	29 ♐ 47	∠	⚼			⚼	☌			∠
29	8 15	27 15	0 45	13 52	1 40	10 55	1 ♑ 21				△	△		⚹		⚹
30	8 17	27 17	0 40	14 5	2 1	11 5	2 56	⚹		□	⚼		⚺	∠	⚺	
31	8 ♐ 19	27 ♎ 19	0 ♋ 35	14 ♒ 18	2 ♉ 22	11 ♒ 13	4 ♑ 30					□	∠		∠	

LAST QUARTER—December 16*d.* 5*h.* 13*m.* *p.m.*

JANUARY

D	☉ °	☉ ′	☉ ″	☽ °	☽ ′	☽ ″	♂ ′	♀ °	♀ ′	☿ °	☿ ′	☽Dec. °	☽Dec. ′
1	1	1	11	11	50	57	41	1	15	1	29	0	41
2	1	1	12	11	55	39	41	1	15	1	29	0	30
3	1	1	11	12	2	28	41	1	15	1	30	1	40
4	1	1	11	12	11	2	41	1	15	1	30	2	45
5	1	1	11	12	21	3	41	1	15	1	31	3	43
6	1	1	10	12	32	27	41	1	15	1	31	4	31
7	1	1	11	12	45	9	41	1	15	1	32	5	6
8	1	1	10	12	59	13	41	1	15	1	32	5	29
9	1	1	9	13	14	38	41	1	15	1	33	5	40
10	1	1	9	13	31	14	41	1	15	1	33	5	36
11	1	1	8	13	48	34	41	1	15	1	33	5	15
12	1	1	8	14	5	50	41	1	15	1	34	4	34
13	1	1	6	14	21	48	41	1	15	1	34	3	31
14	1	1	7	14	34	57	42	1	16	1	35	2	6
15	1	1	5	14	43	34	41	1	15	1	35	0	24
16	1	1	5	14	46	10	41	1	15	1	36	1	24
17	1	1	4	14	41	50	41	1	15	1	37	3	2
18	1	1	4	14	30	33	41	1	15	1	37	4	20
19	1	1	3	14	13	11	42	1	15	1	37	5	11
20	1	1	2	13	51	23	41	1	15	1	38	5	38
21	1	1	2	13	27	15	41	1	15	1	39	5	43
22	1	1	1	13	2	56	42	1	15	1	39	5	33
23	1	1	1	12	40	20	41	1	15	1	40	5	10
24	1	1	0	12	20	57	41	1	15	1	40	4	36
25	1	1	0	12	5	43	42	1	15	1	41	3	55
26	1	0	59	11	55	14	41	1	15	1	42	3	4
27	1	0	58	11	49	43	42	1	15	1	42	2	6
28	1	0	58	11	49	0	41	1	15	1	43	1	1
29	1	0	56	11	52	44	42	1	16	1	44	0	7
30	1	0	57	12	0	24	41	1	15	1	45	1	18
31	1	0	55	12	11	14	42	1	15	1	45	2	26

FEBRUARY

D	☉ °	☉ ′	☉ ″	☽ °	☽ ′	☽ ″	♂ ′	♀ °	♀ ′	☿ °	☿ ′	☽Dec. °	☽Dec. ′
1	1	0	55	12	24	23	42	1	15	1	45	3	28
2	1	0	53	12	38	57	41	1	15	1	46	4	21
3	1	0	52	12	53	58	42	1	15	1	47	5	2
4	1	0	51	13	8	35	42	1	15	1	47	5	29
5	1	0	49	13	22	11	41	1	15	1	48	5	42
6	1	0	48	13	34	23	42	1	15	1	48	5	40
7	1	0	47	13	45	0	42	1	15	1	49	5	21
8	1	0	45	13	54	10	41	1	15	1	48	4	43
9	1	0	43	14	1	59	42	1	15	1	49	3	44
10	1	0	42	14	8	32	42	1	15	1	48	2	27
11	1	0	40	14	13	35	42	1	15	1	48	0	54
12	1	0	39	14	16	44	42	1	15	1	47	0	46
13	1	0	37	14	17	12	41	1	15	1	47	2	23
14	1	0	35	14	14	13	42	1	15	1	45	3	46
15	1	0	33	14	7	6	42	1	15	1	43	4	47
16	1	0	32	13	55	38	42	1	15	1	42	5	25
17	1	0	30	13	40	7	42	1	15	1	39	5	43
18	1	0	29	13	21	34	42	1	15	1	36	5	41
19	1	0	27	13	1	26	42	1	15	1	33	5	24
20	1	0	26	12	41	21	42	1	15	1	28	4	55
21	1	0	25	12	22	57	42	1	15	1	23	4	14
22	1	0	23	12	7	38	42	1	15	1	18	3	24
23	1	0	22	11	56	29	42	1	15	1	13	2	28
24	1	0	20	11	50	13	42	1	15	1	5	1	24
25	1	0	19	11	49	13	42	1	15	0	58	0	16
26	1	0	17	11	53	33	42	1	15	0	50	0	53
27	1	0	16	12	2	56	43	1	15	0	42	2	1
28	1	0	15	12	16	49	42	1	15	0	32	3	5

MARCH

D	☉ °	☉ ′	☉ ″	☽ °	☽ ′	☽ ″	♂ ′	♀ °	♀ ′	☿ °	☿ ′	☽Dec. °	☽Dec. ′
1	1	0	12	12	34	14	42	1	15	0	24	4	1
2	1	0	11	12	53	53	42	1	15	0	14	4	49
3	1	0	10	13	14	8	42	1	15	0	6	5	23
4	1	0	7	13	33	15	43	1	14	0	5	5	44
5	1	0	6	13	49	35	42	1	15	0	13	5	48
6	1	0	3	14	1	53	42	1	15	0	22	5	34
7	1	0	2	14	9	35	42	1	15	0	30	4	58
8	0	59	59	14	12	51	43	1	15	0	37	4	2
9	0	59	57	14	12	30	42	1	15	0	44	2	47
10	0	59	55	14	9	35	42	1	14	0	49	1	15
11	0	59	53	14	5	11	43	1	15	0	53	0	22
12	0	59	51	14	0	0	42	1	15	0	56	1	56
13	0	59	48	13	54	15	42	1	15	0	57	3	18
14	0	59	46	13	47	45	43	1	14	0	58	4	22
15	0	59	44	13	39	59	42	1	15	0	57	5	5
16	0	59	42	13	30	27	43	1	15	0	54	5	30
17	0	59	40	13	18	45	42	1	14	0	51	5	37
18	0	59	37	13	5	3	43	1	15	0	48	5	28
19	0	59	35	12	49	50	42	1	15	0	42	5	5
20	0	59	34	12	34	4	43	1	14	0	38	4	29
21	0	59	32	12	18	57	42	1	15	0	32	3	43
22	0	59	30	12	5	45	43	1	15	0	25	2	48
23	0	59	28	11	55	40	42	1	14	0	20	1	45
24	0	59	26	11	49	43	43	1	15	0	14	0	39
25	0	59	25	11	48	39	42	1	15	0	8	0	29
26	0	59	23	11	52	56	43	1	14	0	2	1	36
27	0	59	21	12	2	48	42	1	15	0	4	2	40
28	0	59	19	12	17	59	43	1	14	0	9	3	37
29	0	59	17	12	37	53	42	1	15	0	14	4	26
30	0	59	16	13	1	15	43	1	14	0	20	5	7
31	0	59	13	13	26	19	43	1	15	0	24	5	35

APRIL

D	☉ °	☉ ′	☉ ″	☽ °	☽ ′	☽ ″	♂ ′	♀ °	♀ ′	☿ °	☿ ′	☽Dec. °	☽Dec. ′
1	0	59	12	13	50	47	42	1	14	0	29	5	49
2	0	59	10	14	12	5	43	1	15	0	33	5	43
3	0	59	7	14	27	54	42	1	14	0	37	5	18
4	0	59	6	14	36	44	43	1	15	0	42	4	27
5	0	59	3	14	38	12	43	1	14	0	44	3	14
6	0	59	2	14	33	13	42	1	14	0	49	1	41
7	0	58	59	14	23	27	43	1	15	0	51	0	1
8	0	58	56	14	10	54	42	1	14	0	55	1	36
9	0	58	55	13	57	18	43	1	15	0	58	3	0
10	0	58	52	13	43	51	43	1	14	1	0	4	6
11	0	58	49	13	31	7	42	1	14	1	3	4	51
12	0	58	48	13	19	9	43	1	15	1	6	5	17
13	0	58	45	13	7	40	42	1	14	1	9	5	28
14	0	58	43	12	56	17	43	1	14	1	10	5	24
15	0	58	41	12	44	43	43	1	14	1	13	5	6
16	0	58	38	12	32	53	42	1	15	1	15	4	36
17	0	58	37	12	21	6	43	1	14	1	18	3	55
18	0	58	35	12	9	56	43	1	14	1	19	3	4
19	0	58	34	12	0	6	42	1	14	1	21	2	4
20	0	58	31	11	52	33	43	1	14	1	24	0	58
21	0	58	30	11	48	11	42	1	14	1	25	0	9
22	0	58	28	11	47	50	43	1	15	1	28	1	16
23	0	58	27	11	52	11	42	1	14	1	29	2	18
24	0	58	25	12	1	44	43	1	14	1	31	3	16
25	0	58	23	12	16	38	43	1	14	1	33	4	4
26	0	58	21	12	36	43	42	1	14	1	34	4	46
27	0	58	20	13	1	8	43	1	14	1	37	5	17
28	0	58	19	13	28	29	42	1	14	1	38	5	37
29	0	58	17	13	56	31	43	1	14	1	40	5	42
30	0	58	15	14	22	25	42	1	14	1	42	5	29

MAY

D	☉ ° ′ ″	☽ ° ′ ″	♂ ′	♀ ° ′	☿ ° ′	☽Dec. ° ′
1	0 58 14	14 43 12	43	1 14	1 44	4 51
2	0 58 12	14 56 19	42	1 14	1 45	3 47
3	0 58 10	15 0 21	42	1 14	1 48	2 19
4	0 58 9	14 55 32	43	1 14	1 49	0 34
5	0 58 7	14 43 17	42	1 14	1 51	1 11
6	0 58 5	14 26 2	43	1 14	1 53	2 44
7	0 58 2	14 6 11	42	1 14	1 55	3 55
8	0 58 1	13 45 51	42	1 14	1 57	4 45
9	0 57 59	13 26 28	42	1 13	1 58	5 14
10	0 57 57	13 8 50	43	1 14	2 0	5 25
11	0 57 55	12 53 11	42	1 14	2 2	5 21
12	0 57 54	12 39 28	42	1 14	2 3	5 6
13	0 57 51	12 27 29	42	1 14	2 5	4 40
14	0 57 50	12 16 55	42	1 14	2 7	4 2
15	0 57 49	12 7 42	42	1 13	2 8	3 14
16	0 57 47	11 59 49	42	1 14	2 8	2 18
17	0 57 46	11 53 31	42	1 14	2 10	1 15
18	0 57 45	11 49 11	42	1 13	2 11	0 8
19	0 57 43	11 47 21	42	1 14	2 11	1 0
20	0 57 42	11 48 37	42	1 14	2 12	2 2
21	0 57 41	11 53 33	42	1 13	2 12	2 59
22	0 57 39	12 2 45	41	1 14	2 11	3 48
23	0 57 39	12 16 31	42	1 14	2 11	4 29
24	0 57 38	12 34 59	42	1 13	2 10	5 0
25	0 57 37	12 57 48	42	1 14	2 9	5 22
26	0 57 35	13 24 3	41	1 14	2 7	5 32
27	0 57 35	13 52 8	42	1 13	2 6	5 27
28	0 57 34	14 19 38	41	1 14	2 5	5 3
29	0 57 34	14 43 42	41	1 13	2 2	4 14
30	0 57 32	15 1 23	42	1 14	2 0	2 58
31	0 57 32	15 10 22	41	1 14	1 59	1 20

JUNE

D	☉ ° ′ ″	☽ ° ′ ″	♂ ′	♀ ° ′	☿ ° ′	☽Dec. ° ′
1	0 57 30	15 9 38	41	1 13	1 55	0 31
2	0 57 29	14 59 43	41	1 14	1 54	2 15
3	0 57 28	14 42 19	41	1 13	1 50	3 41
4	0 57 27	14 20 5	41	1 14	1 49	4 41
5	0 57 26	13 55 34	41	1 13	1 45	5 16
6	0 57 24	13 31 2	41	1 13	1 43	5 30
7	0 57 24	13 8 8	40	1 14	1 41	5 28
8	0 57 22	12 47 51	41	1 13	1 38	5 12
9	0 57 21	12 30 43	41	1 14	1 35	4 46
10	0 57 20	12 16 45	40	1 13	1 32	4 10
11	0 57 19	12 5 52	40	1 13	1 29	3 24
12	0 57 19	11 57 45	41	1 14	1 27	2 31
13	0 57 17	11 52 13	40	1 13	1 24	1 29
14	0 57 17	11 48 58	40	1 13	1 21	0 24
15	0 57 17	11 47 59	40	1 14	1 19	0 44
16	0 57 16	11 49 14	39	1 13	1 15	1 48
17	0 57 15	11 52 55	40	1 13	1 12	2 47
18	0 57 15	11 59 15	40	1 14	1 10	3 37
19	0 57 14	12 8 37	39	1 13	1 6	4 18
20	0 57 15	12 21 13	40	1 13	1 3	4 50
21	0 57 14	12 37 17	39	1 13	1 0	5 11
22	0 57 14	12 56 48	39	1 13	0 56	5 22
23	0 57 14	13 19 17	39	1 14	0 53	5 21
24	0 57 14	13 43 51	39	1 13	0 50	5 4
25	0 57 14	14 8 56	39	1 13	0 46	4 27
26	0 57 14	14 32 27	39	1 13	0 42	3 26
27	0 57 14	14 51 53	38	1 13	0 38	2 2
28	0 57 14	15 4 44	38	1 13	0 35	0 18
29	0 57 14	15 9 10	38	1 13	0 30	1 32
30	0 57 14	15 4 22	38	1 13	0 26	3 10

JULY

D	☉ ° ′ ″	☽ ° ′ ″	♂ ′	♀ ° ′	☿ ° ′	☽Dec. ° ′
1	0 57 13	14 50 55	38	1 14	0 22	4 26
2	0 57 13	14 30 32	38	1 13	0 17	5 14
3	0 57 13	14 5 42	37	1 13	0 13	5 37
4	0 57 13	13 39 4	38	1 13	0 7	5 40
5	0 57 13	13 12 55	37	1 13	0 4	5 26
6	0 57 12	12 49 7	37	1 12	0 2	4 59
7	0 57 12	12 28 45	37	1 13	0 6	4 23
8	0 57 12	12 12 28	36	1 13	0 10	3 38
9	0 57 12	12 0 28	36	1 13	0 16	2 45
10	0 57 12	11 52 33	37	1 13	0 19	1 45
11	0 57 12	11 48 27	36	1 13	0 24	0 41
12	0 57 12	11 47 43	35	1 13	0 28	0 27
13	0 57 13	11 49 56	36	1 13	0 31	1 33
14	0 57 12	11 54 37	35	1 12	0 34	2 33
15	0 57 13	12 1 28	35	1 13	0 37	3 26
16	0 57 13	12 10 13	35	1 13	0 39	4 10
17	0 57 14	12 20 43	35	1 12	0 40	4 44
18	0 57 15	12 32 54	34	1 13	0 41	5 7
19	0 57 15	12 46 52	34	1 13	0 41	5 18
20	0 57 15	13 2 33	34	1 12	0 40	5 18
21	0 57 17	13 19 55	34	1 13	0 39	5 3
22	0 57 18	13 38 39	33	1 12	0 37	4 32
23	0 57 18	13 58 4	34	1 13	0 33	3 42
24	0 57 19	14 17 2	32	1 13	0 31	2 29
25	0 57 21	14 34 1	33	1 12	0 26	0 58
26	0 57 21	14 47 5	32	1 13	0 22	0 45
27	0 57 23	14 54 17	32	1 12	0 16	2 27
28	0 57 23	14 54 29	32	1 12	0 11	3 54
29	0 57 24	14 45 41	31	1 13	0 6	4 58
30	0 57 24	14 30 21	31	1 12	0 1	5 34
31	0 57 25	14 8 48	30	1 12	0 6	5 48

AUGUST

D	☉ ° ′ ″	☽ ° ′ ″	♂ ′	♀ ° ′	☿ ° ′	☽Dec. ° ′
1	0 57 26	13 43 38	30	1 13	0 14	5 41
2	0 57 27	13 17 22	30	1 12	0 19	5 17
3	0 57 27	12 52 18	30	1 12	0 26	4 42
4	0 57 28	12 30 12	29	1 13	0 33	3 57
5	0 57 29	12 12 17	29	1 12	0 39	3 4
6	0 57 29	11 59 8	28	1 12	0 45	2 4
7	0 57 31	11 51 1	28	1 12	0 52	0 59
8	0 57 31	11 47 45	28	1 12	0 58	0 7
9	0 57 32	11 48 57	27	1 12	1 4	1 13
10	0 57 33	11 54 2	27	1 12	1 10	2 16
11	0 57 34	12 2 19	26	1 12	1 16	3 12
12	0 57 35	12 12 57	26	1 12	1 21	3 59
13	0 57 36	12 25 11	25	1 12	1 26	4 37
14	0 57 38	12 38 13	25	1 11	1 31	5 4
15	0 57 39	12 51 30	25	1 12	1 35	5 19
16	0 57 40	13 4 33	24	1 12	1 40	5 20
17	0 57 42	13 17 16	23	1 12	1 44	5 8
18	0 57 43	13 29 38	23	1 11	1 47	4 38
19	0 57 45	13 41 48	23	1 12	1 49	3 52
20	0 57 47	13 53 49	21	1 12	1 53	2 46
21	0 57 48	14 5 33	22	1 11	1 54	1 24
22	0 57 51	14 16 26	21	1 12	1 56	0 12
23	0 57 52	14 25 28	20	1 11	1 57	1 48
24	0 57 54	14 31 19	20	1 11	1 58	3 16
25	0 57 55	14 32 30	19	1 12	1 59	4 28
26	0 57 57	14 27 52	18	1 11	1 59	5 17
27	0 57 58	14 16 57	18	1 11	1 59	5 42
28	0 58 0	14 0 17	17	1 12	1 59	5 46
29	0 58 2	13 39 16	16	1 11	1 59	5 31
30	0 58 3	13 15 54	16	1 11	1 58	5 1
31	0 58 4	12 52 25	15	1 11	1 57	4 18

SEPTEMBER

D	☉	☽	♂	♀	☿	☽ Dec.
	° ′ ″	° ′ ″	′	° ′	° ′	° ′
1	0 58 6	12 30 51	15	1 11	1 56	3 25
2	0 58 8	12 12 46	13	1 11	1 55	2 26
3	0 58 9	11 59 16	13	1 11	1 55	1 21
4	0 58 10	11 50 58	13	1 11	1 53	0 15
5	0 58 12	11 48 7	11	1 10	1 52	0 52
6	0 58 13	11 50 34	11	1 11	1 51	1 55
7	0 58 15	11 57 52	10	1 11	1 51	2 52
8	0 58 16	12 9 19	9	1 11	1 48	3 43
9	0 58 18	12 23 54	8	1 10	1 48	4 24
10	0 58 20	12 40 25	8	1 11	1 47	4 58
11	0 58 21	12 57 30	7	1 10	1 45	5 17
12	0 58 23	13 13 50	6	1 11	1 45	5 24
13	0 58 25	13 28 15	5	1 10	1 43	5 16
14	0 58 27	13 40 7	5	1 10	1 42	4 50
15	0 58 30	13 49 12	3	1 10	1 41	4 5
16	0 58 31	13 55 48	3	1 10	1 40	3 2
17	0 58 34	14 0 32	1	1 10	1 39	1 43
18	0 58 35	14 4 2	1	1 10	1 38	0 11
19	0 58 38	14 6 42	0	1 10	1 37	1 22
20	0 58 41	14 8 32	1	1 10	1 36	2 48
21	0 58 42	14 9 1	2	1 10	1 35	4 0
22	0 58 45	14 7 19	2	1 9	1 34	4 52
23	0 58 47	14 2 27	4	1 10	1 33	5 26
24	0 58 49	13 53 41	4	1 10	1 32	5 38
25	0 58 51	13 40 53	6	1 9	1 32	5 33
26	0 58 53	13 24 30	6	1 9	1 30	5 11
27	0 58 55	13 5 43	7	1 10	1 29	4 35
28	0 58 57	12 46 5	8	1 9	1 29	3 45
29	0 58 58	12 27 18	9	1 9	1 27	2 48
30	0 59 1	12 10 59	10	1 9	1 26	1 44

OCTOBER

D	☉	☽	♂	♀	☿	☽ Dec.
	° ′ ″	° ′ ″	′	° ′	° ′	° ′
1	0 59 3	11 58 23	11	1 9	1 26	0 37
2	0 59 4	11 50 28	11	1 9	1 25	0 30
3	0 59 6	11 47 51	12	1 8	1 23	1 33
4	0 59 8	11 50 45	13	1 9	1 22	2 32
5	0 59 9	11 59 7	14	1 8	1 22	3 23
6	0 59 11	12 12 32	14	1 9	1 20	4 8
7	0 59 13	12 30 7	15	1 8	1 19	4 42
8	0 59 15	12 50 38	15	1 8	1 18	5 8
9	0 59 17	13 12 23	17	1 8	1 16	5 21
10	0 59 19	13 33 28	16	1 8	1 15	5 21
11	0 59 21	13 51 57	18	1 8	1 14	5 3
12	0 59 22	14 6 14	17	1 7	1 12	4 25
13	0 59 25	14 15 24	19	1 8	1 10	3 25
14	0 59 28	14 19 27	18	1 7	1 9	2 5
15	0 59 29	14 19 2	19	1 7	1 6	0 33
16	0 59 32	14 15 20	20	1 7	1 4	1 2
17	0 59 34	14 9 36	19	1 7	1 2	2 30
18	0 59 37	14 2 42	20	1 7	0 59	3 42
19	0 59 38	13 55 14	20	1 6	0 56	4 36
20	0 59 41	13 47 9	21	1 7	0 53	5 10
21	0 59 44	13 38 14	20	1 6	0 49	5 27
22	0 59 45	13 28 0	20	1 6	0 45	5 27
23	0 59 47	13 16 14	20	1 6	0 41	5 11
24	0 59 50	13 2 51	21	1 6	0 36	4 41
25	0 59 52	12 48 17	20	1 5	0 31	4 0
26	0 59 53	12 33 15	19	1 6	0 25	3 6
27	0 59 56	12 18 41	20	1 5	0 18	2 4
28	0 59 57	12 5 46	19	1 5	0 12	0 58
29	0 59 59	11 55 30	19	1 4	0 3	0 10
30	1 0 1	11 48 55	19	1 5	0 5	1 14
31	1 0 2	11 46 45	18	1 4	0 13	2 13

NOVEMBER

D	☉	☽	♂	♀	☿	☽ Dec.
	° ′ ″	° ′ ″	′	° ′	° ′	° ′
1	1 0 4	11 49 36	17	1 4	0 23	3 5
2	1 0 6	11 57 46	18	1 3	0 33	3 49
3	1 0 7	12 11 15	16	1 4	0 42	4 25
4	1 0 9	12 29 40	16	1 3	0 52	4 53
5	1 0 10	12 52 7	16	1 3	1 0	5 11
6	1 0 12	13 17 10	14	1 3	1 8	5 18
7	1 0 13	13 42 51	14	1 2	1 13	5 10
8	1 0 15	14 6 45	14	1 2	1 19	4 42
9	1 0 17	14 26 28	13	1 2	1 20	3 52
10	1 0 18	14 39 57	11	1 1	1 18	2 38
11	1 0 20	14 46 7	12	1 1	1 16	1 6
12	1 0 22	14 45 0	10	1 0	1 10	0 36
13	1 0 24	14 37 35	10	1 1	1 2	2 11
14	1 0 26	14 25 32	9	0 59	0 52	3 31
15	1 0 28	14 10 40	8	1 0	0 42	4 29
16	1 0 29	13 54 32	7	0 59	0 30	5 5
17	1 0 31	13 38 19	7	0 58	0 18	5 22
18	1 0 33	13 22 40	5	0 58	0 7	5 24
19	1 0 35	13 7 53	5	0 58	0 5	5 10
20	1 0 37	12 54 0	4	0 57	0 15	4 44
21	1 0 38	12 40 57	4	0 57	0 24	4 6
22	1 0 40	12 28 42	2	0 56	0 33	3 18
23	1 0 41	12 17 18	2	0 55	0 41	2 20
24	1 0 43	12 7 3	1	0 55	0 48	1 16
25	1 0 44	11 58 14	0	0 55	0 54	0 8
26	1 0 45	11 51 29	1	0 53	0 59	0 56
27	1 0 47	11 47 19	2	0 53	1 4	1 57
28	1 0 48	11 46 24	2	0 53	1 8	2 51
29	1 0 48	11 49 21	3	0 51	1 11	3 35
30	1 0 50	11 56 39	4	0 51	1 15	4 10

DECEMBER

D	☉	☽	♂	♀	☿	☽ Dec.
	° ′ ″	° ′ ″	′	° ′	° ′	° ′
1	1 0 50	12 8 38	5	0 51	1 17	4 39
2	1 0 52	12 25 25	5	0 49	1 19	4 58
3	1 0 51	12 46 41	7	0 49	1 21	5 8
4	1 0 53	13 11 39	7	0 47	1 23	5 6
5	1 0 54	13 38 54	7	0 47	1 24	4 49
6	1 0 55	14 6 25	8	0 46	1 25	4 12
7	1 0 55	14 31 34	9	0 45	1 27	3 12
8	1 0 56	14 51 36	10	0 44	1 27	1 49
9	1 0 57	15 4 8	10	0 42	1 28	0 8
10	1 0 58	15 7 41	11	0 42	1 28	1 37
11	1 0 59	15 2 8	12	0 40	1 29	3 11
12	1 1 0	14 48 37	12	0 40	1 30	4 21
13	1 1 1	14 29 13	13	0 38	1 30	5 7
14	1 1 2	14 6 26	13	0 36	1 30	5 29
15	1 1 3	13 42 35	14	0 36	1 31	5 30
16	1 1 4	13 19 34	14	0 34	1 31	5 17
17	1 1 5	12 58 36	15	0 32	1 31	4 52
18	1 1 5	12 40 22	16	0 31	1 32	4 14
19	1 1 7	12 25 10	16	0 30	1 32	3 27
20	1 1 7	12 12 51	16	0 28	1 32	2 33
21	1 1 8	12 3 16	17	0 26	1 32	1 31
22	1 1 8	11 56 5	18	0 24	1 32	0 26
23	1 1 9	11 51 7	18	0 23	1 33	0 40
24	1 1 9	11 48 13	18	0 20	1 33	1 42
25	1 1 10	11 47 23	20	0 19	1 33	2 37
26	1 1 10	11 48 50	19	0 16	1 34	3 24
27	1 1 9	11 52 47	20	0 15	1 33	4 2
28	1 1 10	11 59 41	20	0 12	1 34	4 30
29	1 1 10	12 9 53	21	0 10	1 35	4 49
30	1 1 10	12 23 45	21	0 8	1 34	4 59
31	1 1 9	12 41 27	21	0 5	1 34	4 59

JANUARY

D.M.	Time	Phenomenon
2	0.0 P.M.	⊕ in Perihelion.
2	1.59 P.M.	☽ Max. Dec. 25°S.27′.
4	3.43 P.M.	☉ Annular Eclipse.
9	7.17 P.M.	☽ on Equator.
11	4.58 A.M.	☿ in Aphelion.
16	5.16 A.M.	☽ Max. Dec. 25°N.27′.
16	8.52 P.M.	☽ in Perigee.
18	9.29 P.M.	☽ Penumbral Eclipse.
21	11.23 P.M.	♀ in ☋.
22	0.19 P.M.	☽ on Equator.
24	8.27 P.M.	♂ in ☋.
28	3.42 P.M.	☽ in Apogee.
28	8.31 P.M.	☿ ☌ Sup. ☉.
29	9.27 P.M.	☽ Max. Dec. 25°S.26′.

FEBRUARY

D.M.	Time	Phenomenon
6	1.18 A.M.	☽ on Equator.
12	0.58 P.M.	☽ Max. Dec. 25°N.22′.
13	10.46 A.M.	☽ in Perigee.
18	10.37 P.M.	☽ on Equator.
19	1.9 P.M.	☿ in ☊.
24	4.35 A.M.	☿ in Perihelion.
25	0.35 P.M.	☽ in Apogee.
25	5.22 P.M.	♀ in Aphelion.
25	7.54 P.M.	☿ Gt. Elong. 18°E.
26	5.43 A.M.	☽ Max. Dec. 25°S.17′.

MARCH

D.M.	Time	Phenomenon
5	9.6 A.M.	☽ on Equator.
10	8.13 A.M.	☽ in Perigee.
11	6.33 P.M.	☽ Max. Dec. 25°N.10′.
13	8.17 P.M.	☿ ☌ Inf. ☉.
18	7.25 A.M.	☽ on Equator.
20	6.13 P.M.	☉ enters ♈, *Equinox.*
25	8.55 A.M.	☽ in Apogee.
25	1.44 P.M.	☽ Max. Dec. 25°S.1′.
29	8.44 P.M.	☿ in ☋.

APRIL

D.M.	Time	Phenomenon
1	6.19 P.M.	☽ on Equator.
6	4.10 A.M.	☽ in Perigee.
8	0.11 A.M.	☽ Max. Dec. 24°N.55′.
9	4.13 A.M.	☿ in Aphelion.
9	7.14 P.M.	♀ ☌ Sup. ☉.
10	1.48 P.M.	☿ Gt. Elong. 28°W.
14	1.40 P.M.	☽ on Equator.
21	8.43 P.M.	☽ Max. Dec. 24°S.48′.
22	2.12 A.M.	☽ in Apogee.
29	3.33 A.M.	☽ on Equator.

MAY

D.M.	Time	Phenomenon
4	5.42 A.M.	☽ in Perigee.
5	7.12 A.M.	☽ Max. Dec. 24°N.44′.
11	6.32 P.M.	☽ in Equator.
15	2.55 A.M.	♀ in ☊.
18	0.24 P.M.	☿ in ☊.
19	2.42 A.M.	☽ Max. Dec. 24°S.41′.
19	1.33 P.M.	☽ in Apogee.
20	8.23 A.M.	☿ ☌ Sup. ☉.
23	3.50 A.M.	☿ in Perihelion.
26	11.42 A.M.	☽ on Equator.

JUNE

D.M.	Time	Phenomenon
1	2.10 P.M.	☽ in Perigee.
1	5.38 P.M.	☽ Max. Dec. 24°N.40′.
7	11.55 P.M.	☽ on Equator.
15	8.20 A.M.	☽ Max. Dec. 24°S.40′.
15	5.5 P.M.	☽ in Apogee.
15	8.35 P.M.	☽ Penumbral Eclipse.
18	1.14 A.M.	♀ in Perihelion.
21	1.1 P.M.	☉ enters ♋, *Solstice.*
22	4.54 P.M.	☿ Gt. Elong. 25°E.
22	6.22 P.M.	☽ on Equator.
25	8.0 P.M.	☿ in ☋.
29	3.56 A.M.	☽ Max. Dec. 24°N.41′.
29	11.54 P.M.	☽ in Perigee.
30	11.39 A.M.	☉ Total Eclipse.

JULY

D.M.	Time	Phenomenon
3	3.15 P.M.	⊕ in Aphelion.
5	7.26 A.M.	☽ on Equator.
6	3.28 A.M.	☿ in Aphelion.
12	2.27 P.M.	☽ Max. Dec. 24°S.41′.
12	9.48 P.M.	☽ in Apogee.
15	11.56 A.M.	☽ Penumbral Eclipse.
20	0.13 A.M.	☽ on Equator.
20	6.6 A.M.	☿ ☌ Inf. ☉.
26	11.39 A.M.	♂ in Perihelion.
26	1.40 P.M.	☽ Max. Dec. 24°N.39′.
28	7.24 A.M.	☽ in Perigee.

AUGUST

D.M.	Time	Phenomenon
1	5.3 P.M.	☽ on Equator.
8	5.30 P.M.	☿ Gt. Elong. 19°W.
8	9.27 P.M.	☽ Max. Dec. 24°S.36′.
9	10.9 A.M.	☽ in Apogee.
14	11.40 A.M.	☿ in ☊.
16	6.20 A.M.	☽ on Equator.
19	3.6 A.M.	☿ in Perihelion.
22	9.18 P.M.	☽ Max. Dec. 24°N.31′.
25	6.46 A.M.	☽ in Perigee.
29	3.17 A.M.	☽ on Equator.

SEPTEMBER

D.M.	Time	Phenomenon
2	8.24 P.M.	☿ ☌ Sup. ☉.
3	4.10 P.M.	♀ in ☋.
5	4.12 A.M.	☽ Max. Dec. 24°S.25′.
6	3.16 A.M.	☽ in Apogee.
12	1.33 P.M.	☽ on Equator.
19	2.55 A.M.	☽ Max. Dec. 24°N.17′.
20	10.16 P.M.	☽ in Perigee.
21	7.15 P.M.	☿ in ☋.
23	4.21 A.M.	☉ enters ♎, *Equinox.*
25	0.16 P.M.	☽ on Equator.

OCTOBER

D.M.	Time	Phenomenon
2	2.46 A.M.	☿ in Aphelion.
2	1.6 P.M.	☽ Max. Dec. 24°S.9′.
3	10.47 P.M.	☽ in Apogee.
8	9.28 A.M.	♀ in Aphelion.
9	9.59 P.M.	☽ on Equator.
16	0.51 A.M.	☽ in Perigee.
16	8.16 A.M.	☽ Max. Dec. 24°N.2′.
18	9.48 P.M.	☿ Gt. Elong. 25°E.
22	6.52 P.M.	☽ on Equator.
29	8.30 P.M.	☽ Max. Dec. 23°S.57′.
31	6.58 P.M.	☽ in Apogee.

NOVEMBER

D.M.	Time	Phenomenon
6	6.54 A.M.	☽ on Equator.
10	10.32 A.M.	☿ ☌ Inf. ☉. (Transit)
10	10.55 A.M.	☿ in ☊.
12	2.45 P.M.	☽ in Perigee.
12	3.37 P.M.	☽ Max. Dec. 23°N.54′.
13	10.24 A.M.	♀ Gt. Elong. 47°E.
15	2.21 A.M.	☿ in Perihelion.
18	11.43 P.M.	☽ on Equator.
25	3.42 A.M.	♂ in ☊.
26	3.9 A.M.	☽ Max. Dec. 23°S.52′.
27	5.30 A.M.	☿ Gt. Elong. 20°W.
28	0.42 P.M.	☽ in Apogee.

DECEMBER

D.M.	Time	Phenomenon
3	3.13 P.M.	☽ on Equator.
10	1.34 A.M.	☽ Partial Eclipse.
10	1.47 A.M.	☽ Max. Dec. 23°N.52′.
10	10.24 P.M.	☽ in Perigee.
16	5.15 A.M.	☽ on Equator.
18	6.31 P.M.	☿ in ☋.
19	6.0 A.M.	♀ Gt. Brilliancy.
22	0.8 A.M.	☉ enters ♑, *Solstice.*
23	9.20 A.M.	☽ Max. Dec. 23°S.53′.
24	3.8 P.M.	☉ Annular Eclipse.
25	7.39 P.M.	♀ in ☊.
25	9.31 P.M.	☽ in Apogee.
29	1.59 A.M.	☿ in Aphelion.
30	10.21 P.M.	☽ on Equator.

A COMPLETE ASPECTARIAN for 1973.

Showing the approximate time when each Aspect is formed.

a.m. or *a* denotes morning, *p.m.* or *p* denotes afternoon.

NOTE—Semi-quintile, or 36° apart, ⊥; Bi-quintile, or 144° ±; Quincunx, or 150° ▽.

☽ ☌ ● Eclipse of ⊙. ☽ ☍ ⊙ Eclipse of ☽. ☌̇ Occultation by ☽.

JANUARY

Day	Aspect	Time	
1 M	☽☌♂	0am44	B
	☽∠♃	4 41	b
	☽✶♇	7 51	G
	☽☌♆	11 34	D
	☽⚺⊙	9pm57	g
2 Tu	☽☍♄	5am43	B
	♀⚺♃	7 11	
	☽⚺♃	11 41	g
	☽☌♀	0pm 8	G
	⊙⊥♆	7 45	
	☽✶♅	9 1	G
3 W	☽☌☿	7am37	G
	☽⚺♂	5pm 0	g
	☽□♇	8 21	B
4 Th	☽⚺♆	0am10	g
	♀P♃	4 40	
	☽P☿	5 39	G
	☽☌●	3pm43	D
	☽P⊙	6 10	G
	☽P♀	8 37	G
	☽P♃	9 34	G
5 F	☽∠♂	0am34	b
	☽☌̇♃	0 47	G
	☽∠♆	5 55	b
	♂∠♃	6 35	
	☽⚺♀	6 52	g
	☽P♄	8 20	B
	☽□♅	8 48	B
	☽P♂	10 36	B
	⊙▽♄	11 22	
	☽P♆	5pm 5	D
	⊙P♀	10 41	
	☽⚼♄	10 43	b
6 S	♀✶♅	2am 5	
	☽⚺☿	3 15	g
	♂✶♇	4 11	
	☽△♇	7 22	G
	☽✶♂	7 33	G
	♇ Stat	8 0	
	☽✶♆	11 12	G
	☽∠♀	3pm19	b
7 Su	☽△♄	3am29	G
	☽P♇	6 34	D
	☽⚺⊙	7 14	g
	☽⚺♃	11 56	g
	☽∠☿	0pm 1	b
	☽⚼♇	0 8	b
	☿□♇	0 53	
	♂P♄	2 11	
	☽△♅	6 40	G
	☿Q♅	8 7	
	☽✶♀	11 2	G
8 M	☽P♅	6am54	B
	☽∠⊙	1pm57	b
	☿⚺♂	3 18	
	☽∠♃	4 38	b
	⊙P♃	5 7	
	☽□♂	7 39	B
	☽✶☿	7 59	G
	☽□♆	8 7	B
	☿⚺♆	9 8	
	☽⚼♅	10 45	b

Day	Aspect	Time	
9 Tu	♂☌♆	4am47	
	☽□♄	11 21	B
	☽✶⊙	7pm54	G
	☽✶♃	8 43	G
10 W	⊙☌♃	9am18	
	☽□♀	0pm 3	B
	☽☍♇	10 51	B
11 Th	⊙±♄	0am31	
	☽△♆	2 36	G
	☽△♂	4 56	G
	☽P♅	6 46	B
	♂∠♅	7 44	
	☽□☿	9 20	B
	☽✶♄	4pm48	G
	⊙∠♆	10 8	
12 F	☽□♃	2am55	B
	☽⚼♆	4 55	b
	☽□⊙	5 27	B
	☽P♇	5 32	D
	☽☍♅	7 19	B
	☽⚼♂	8 30	b
	⊙P♂	11 58	
	♃±♄	5pm39	
	☽∠♄	6 38	b
	☿⊥♆	7 54	
	☽△♀	9 46	G
13 S	⊙□♅	7am 9	
	☽P♆	2pm55	D
	☽△☿	7 18	G
	☽⚺♄	7 56	g
	☽P♄	10 2	B
14 Su	☽P⊙	0am33	G
	☿▽♄	0 49	
	☽⚼♀	1 30	b
	☽P♂	3 41	B
	☽⚼♇	4 8	b
	☽P♃	5 8	G
	☽△♃	6 39	G
	☽△⊙	0pm 6	G
	☽P♀	1 36	G
	☽P☿	9 54	G
	☽⚼☿	11 16	b
15 M	☽△♇	4am55	G
	♀□♇	7 43	
	☽⚼♃	7 49	b
	☽☍♆	8 38	B
	☽⚼♅	10 49	b
	☿⊥♂	0pm11	
	♂P♃	1 9	
	☽⚼⊙	2 37	b
	☽☍♂	3 35	B
	♀Q♅	7 13	
	☽☌♄	9 15	B
16 Tu	⊙P♄	2am37	
	☽△♅	11 18	G
17 W	♀⚺♆	4am10	
	☽□♇	5 47	B
	⊙∠♂	6 57	
	☽☍♀	10 4	B
	☽P☿	4pm14	G
	☿±♄	4 39	
	♃∠♆	6 35	
	☽P♀	8 44	G
	☽⚺♄	9 54	g

Day	Aspect	Time	
18 Th	☽P♂	3am 9	B
	☽P♃	5 46	G
	☽☍☿	9 35	B
	☽⚼♆	10 6	b
	☽☍♃	10 19	B
	☽P♄	11 46	B
	☽□♅	0pm12	B
	☿∠♆	2 24	
	☽P⊙	2 51	G
	☿☌♃	5 22	
	☽P♆	6 32	D
	☽⚼♂	8 35	b
	☽☍⊙	9 29	B
	☽∠♄	10 26	b
19 F	☽✶♇	6am57	G
	☿□♅	9 23	
	⊙⚼♄	10 23	
	☽△♆	10 56	G
	☽△♂	10p49	G
	☽✶♄	11 22	G
20 S	☽P♇	2am42	D
	☽∠♇	8 9	b
	♂☍♄	9 36	
	☽✶♅	2pm25	G
	☿P♀	3 59	
	☽⚼♀	8 1	b
21 Su	☽P♅	1am10	B
	☽⚺♇	10 1	g
	⊙P♆	10 13	
	☽□♆	2pm22	B
	☽⚼♃	3 48	b
	☽∠♅	4 31	b
	☿P♂	10 35	
22 M	☽⚼☿	0am 2	b
	☽△♀	0 58	G
	♀⊥♆	1 42	
	☽□♄	3 17	B
	☽□♂	5 42	B
	☽⚼⊙	8 52	b
	☽△♃	7pm13	G
	☽⚺♅	7 30	g
23 Tu	☿▽♄	1am 7	
	☿⚼♄	1 50	
	☽△☿	7 15	G
	♀P♂	9 26	
	♃□♅	10 57	
	♂Q♇	1pm 5	
	☽△⊙	2 46	G
	☽☌♇	4 24	D
	☽✶♆	9 12	G
24 W	☽P♅	1am15	B
	☽△♄	10 45	G
	⊙△♇	11 1	
	☽□♀	2pm36	B
	☽✶♂	4 46	G
25 Th	☿P♃	0am13	
	☿∠♂	1 57	
	☽∠♆	2 1	b
	☽P♇	2 54	D
	♂⊥♃	3 39	
	☽☌♅	4 15	B
	☽□♃	5 3	B
	☽⚼♄	3pm51	b
	☽∠♂	11 52	b

Day	Aspect	Time	
26 F	☽□☿	1am59	B
	☽⚺♇	2 26	g
	☿△♇	5 15	
	☽□⊙	6 6	B
	☽⚺♆	7 41	g
	☽P⊙	9 2	G
	♀⚺♂	11 42	
	☽P♆	5pm19	D
	☿P♄	5 39	
27 S	☽P☿	0am31	G
	⊙✶♆	1 5	
	☽P♄	1 23	B
	☽P♃	6 2	G
	♅ Stat	6 3	
	☽⚺♂	7 48	g
	☽∠♇	8 30	b
	☽✶♀	8 52	G
	☽P♀	0pm13	G
	☽⚺♅	4 6	g
	♀±♄	5 1	
	☽✶♃	6 7	G
	☿✶♆	6 57	
	☽P♂	8 15	B
28 Su	☽✶♇	2pm53	G
	☽∠♀	6 53	b
	☽☌♆	8 25	D
	⊙☌☿	8 31	
	☽∠♅	10 33	b
29 M	☽✶⊙	0am23	G
	☽✶☿	0 40	G
	☽∠♃	1 10	b
	☿P♆	4 56	
	♀∠♆	9 32	
	☽☍♄	10 19	B
30 Tu	☽☌♂	0am24	B
	☽⚺♀	4 52	g
	☽✶♅	4 57	G
	♀□♅	5 36	
	☽⚺♃	8 9	g
	☽∠⊙	9 36	b
	☽∠☿	0pm11	b
31 W	☽□♇	3am24	B
	☽⚺♆	8 59	g
	☿△♄	5pm40	
	☽⚺⊙	6 18	g
	♀☌♃	6 20	
	☽P♂	7 14	B
	☽⚺☿	11 7	g

FEBRUARY

Day	Aspect	Time	
1 Th	☽P♀	0pm38	G
	☽P♃	1 10	G
	☽∠♆	2 35	b
	☽⚺♂	3 40	g
	☽P♄	3 57	B
	☽□♅	4 28	B
	☽☌̇♃	8 41	G
	♀P♃	10 38	
	☽☌♀	11 7	G
	☽P♆	11 37	D
2 F	☽⚼♄	3am31	b
	♂✶♅	5 44	
	☽△♇	2pm 1	G
2	☽P☿	2pm12	G
	⊙△♄	5 23	
	☽✶♆	7 31	G
	☽P⊙	7 51	G
	☽∠♂	10 14	b
3 S	☽△♄	8am 5	G
	☽☌⊙	9 24	D
	☽P♇	11 53	D
	♀P♄	1pm43	
	☽☌☿	6 11	G
	☿Q♆	6 14	
	♀⚼♄	6 15	
	☽⚼♇	6 21	b
	☿⚼♇	7 18	
4 Su	☽△♅	1am30	G
	☽✶♂	3 59	G
	☽⚺♃	6 34	g
	☽P♅	1pm15	B
	☽⚺♀	1 54	g
5 M	☽□♆	3am27	B
	☽⚼♅	5 3	b
	☽∠♃	10 32	b
	⊙P☿	0pm33	
	☽□♄	3 19	B
	☽∠♀	8 4	b
	☽⚺⊙	9 11	g
	☿△♅	10 38	
6 Tu	♀⊥♂	5am33	
	☽⚺☿	9 31	g
	☽□♂	1pm28	B
	☽✶♃	1 55	G
7 W	☽✶♀	1am32	G
	☽∠⊙	2 5	b
	♂⚺♃	2 17	
	☽☍♇	3 48	B
	☽△♆	9 10	G
	☽P♅	0pm33	B
	☽∠☿	4 5	b
	☽✶♄	8 31	G
	☿⚺♃	10 27	
	♀P♆	10 40	
8 Th	⊙⚼♇	0am51	
	♀△♇	1 56	
	⊙Q♆	2 24	
	☽✶⊙	6 28	G
	☿✶♂	7 0	
	☽⚼♆	11 24	b
	☽☍♅	0pm47	B
	☽P♇	0 53	D
	☽P☿	1 12	G
	☿P♇	3 25	
	☽P⊙	6 12	G
	☿±♇	6 31	
	☽□♃	7 22	B
	☽△♂	8 50	G
	☽✶☿	10 7	G
	☽∠♄	10 34	b
9 F	☽□♀	10a59	B
	☽P♀	6pm43	G
	♃P♄	7 58	
	☽P♆	9 47	D
	☽⚼♂	11 59	b
10 S	☽⚺♄	0am20	g
	☽P♃	4 31	G

FEB.—*contd.*

Date	Aspect	Time	
10	☽P♄	4am37	B
	☽⊡♇	9 38	b
	♀✶♆	1pm31	
	☽□☉	2 6	B
	☽△♃	11 35	G
11 𝔖	☽P♂	2am28	B
	☽□☿	8 57	B
	☽△♇	11 4	G
	☽☍♆	4pm26	B
	☿⊥♃	5 27	
	☽⊡♅	5 37	b
	☽△♀	7 1	G
	☉△♅	7 27	
12 M	☉P♇	0am21	
	☽⊡♃	1 21	b
	☿⊽♇	1 27	
	☽☌♄	3 13	B
	☽△♅	6pm52	G
	☽△☉	8 41	G
	☽⊡♀	10 42	b
13 Tu	☽☍♂	8am 1	B
	♄ Stat	0pm35	
	☽□♇	1 31	B
	☽△☿	6 44	G
	☿□♆	8 42	
	☽P♂	10 49	B
	☽⊡☉	11 48	b
14 W	☿⊡♅	5am16	
	☽⊻♄	5 39	g
	☽⊡♆	8pm13	b
	☽P♄	8 34	B
	☽□♅	9 14	B
	☽P♃	10 6	G
	☽⊡☿	11 30	b
15 Th	☽P♆	3am22	D
	☽☍♃	6 14	B
	☽∠♄	6 55	b
	☽✶♇	3pm58	G
	☽P♀	4 25	G
	♀△♄	4 26	
	☿P♅	4 54	
	☽△♆	9 35	G
16 F	☽✶♄	8am22	G
	☽☍♀	9 55	B
	☽P♇	11 7	D
	☽⊡♂	3pm58	b
	☽∠♇	5 29	b
	☉±♇	6 35	
	☽P☉	6 49	G
17 S	☽✶♅	0am11	G
	♃⊡♄	2 49	
	☽☍☉	10 7	B
	☽P♅	11 49	B
	☿□♄	0pm55	
	☉⊻♃	0 58	
	☿∠♃	2 24	
	☽P☿	6 59	G
	☽△♂	7 19	G
	☽⊻♇	7 25	g
	♂□♇	9 23	
18 𝔖	☽□♆	1am21	B
	☽∠♅	2 15	b
	☽□♄	0pm31	B
	☽⊡♃	1 3	b
	☽☍☿	3 48	B
19 M	♂Q♅	3am41	
	☽⊻♅	4 57	g
	☿±♅	11 43	
	☽△♃	4pm32	G
	☿Q♂	6 26	
19	☽P☿	7pm48	G
	♀⊡♇	9 25	
20 Tu	☽☌♇	1am 8	D
	☽⊡♀	1 33	b
	☽□♂	4 11	B
	♀Q♆	6 14	
	☽✶♆	7 34	G
	☽P♅	10 41	B
	☽△♄	7pm24	G
	☽P☉	10 11	G
21 W	☽⊡☉	2am15	b
	☽△♀	8 46	G
	☽∠♆	11 52	b
	☽☌♅	0pm39	B
	☽P♇	2 29	D
	☽P♀	10 31	G
22 Th	☽⊡♄	0am 3	b
	☽□♃	2 3	B
	☽△☉	9 42	G
	☽⊻♇	10 6	g
	♀∠♂	0pm35	
	☉⊽♇	2 27	
	☽⊡☿	3 9	b
	☽✶♂	4 54	G
	☽⊻♆	6 1	g
	♂⊻♆	7 13	
	♀△♅	11 15	
23 F	☽P♆	3am 9	D
	☽P♃	6 37	G
	☽P♄	11 36	B
	☿⊽♅	3pm36	
	☽∠♇	3 44	b
	☽⊻♅	11 33	g
24 S	☽△☿	0am30	G
	☽∠♂	0 36	b
	☽□♀	2 27	B
	☽P♂	0pm21	B
	☽✶♃	2 46	G
	☽✶♇	9 55	G
25 𝔖	☉⊥♃	2am44	
	☽□☉	3 11	B
	☽☌♆	5 15	D
	☽∠♅	5 50	b
	☽⊻♂	8 52	g
	♀P♇	1pm43	
	☽☍♄	6 11	B
	☽∠♃	9 46	b
26 M	☉□♆	3am32	
	☉⊡♅	9 32	
	☽✶♅	0pm13	G
	☽□☿	7 6	B
	☽✶♀	10 25	G
	♀±♇	11 13	
27 Tu	☽⊻♃	4am41	g
	☽□♇	10 34	B
	☉P♅	5pm20	
	☽⊻♆	5 57	g
	☽✶☉	9 26	G
28 W	☽P♂	0am16	B
	☽☌♂	1 14	B
	☽∠♀	7 56	b
	☽P♄	10p39	B
	☽∠♆	11 39	b
	☽□♅	11 59	B

MARCH

Date	Aspect	Time	
1 Th	☽∠☉	5am40	b
	☽P♃	5 42	G
	☽P♆	7 12	D
	☽✶☿	10 11	G
	☽⊡♄	0pm12	b
1	☽⊻♀	4pm32	g
	☽☌♃	4 54	G
	♀⊻♃	8 49	
	☽△♇	9 24	G
2 F	☽✶♆	4am34	G
	☽⊻☉	0pm53	g
	☽⊻♂	2 52	g
	☽∠☿	3 42	b
	☽△♄	4 49	G
	☽P♇	6 10	D
3 S	☽⊡♇	1am39	b
	☽P♀	6 27	G
	☽△♅	8 50	G
	♂⊥♆	10 0	
	♀⊽♇	4pm18	
	☽⊻☿	7 52	g
	☽∠♂	8 12	b
	☽P♅	10 21	B
4 𝔖	☽⊻♃	1am47	g
	♂⊽♄	4 4	
	☽P☉	5 44	G
	☽☌♀	6 23	G
	☽□♆	11 56	B
	☽⊡♅	0pm 1	b
	☿Stat	0 59	
	☉□♄	4 41	
	☽□♄	11 36	B
	☽P☿	11 46	G
5 M	☽☌☉	0am 8	D
	☽✶♂	0 37	G
	☽∠♃	4 59	b
	☽P☿	6pm41	G
	☉✶♂	9 4	
6 Tu	☽☌☿	0am53	G
	♃P♆	1 54	
	♅∠♆	2 24	
	☽✶♃	7 31	G
	☽P☉	8 29	G
	☽☍♇	9 45	B
	☽⊻♀	4pm18	g
	☽△♆	4 26	G
	♀⊡♅	5 23	
	♀□♆	5 47	
	☽P♅	6 49	B
7 W	☽P♀	2am22	G
	☉±♅	2 52	
	☽✶♄	3 47	G
	☿Q♂	4 1	
	☽□♂	7 22	B
	☽⊻☉	8 9	g
	♀⊥♃	2pm36	
	☽☍♅	5 56	B
	☽⊡♆	6 2	b
	☽∠♀	8 23	b
	☽P♇	9 32	D
8 Th	☽⊻☿	2am51	g
	☽∠♄	5 21	b
	☉∠♃	9 24	
	☽□♃	11 25	B
	☽∠☉	11 31	b
9 F	☽✶♀	0am12	G
	☽∠☿	3 13	b
	☽P♃	3 45	G
	☽P♆	4 36	D
	☽⊻♄	6 46	g
	☽P♄	0pm36	B
	☽△♂	0 49	G
	☽⊡♇	2 2	b
	☽✶☉	2 46	G
	♆Stat	2 46	
10 S	☽P♂	1am54	B
	☽✶☿	3 21	G
10	☽△♃	2pm47	G
	☽△♇	3 20	G
	☽⊡♂	3 29	b
	☽⊡♅	9 50	b
	☽☍♆	10 7	B
11 𝔖	♀P♅	0am21	
	☽□♀	7 48	B
	☽☌♄	9 40	B
	☽⊡♃	4pm35	b
	☽□☉	9 27	B
	☽△♅	11 15	G
12 M	♃△♇	2am 0	
	☽□☿	3 27	B
	♀□♄	5 45	
	☽□♇	6pm17	B
	☉⊽♅	10 17	
13 Tu	♂±♄	5am29	
	☽⊻♄	1pm 7	g
	☽P♂	2 5	B
	☽△♀	4 4	G
	♀±♅	6 3	
	☉☌☿	8 17	
14 W	☽☍♂	0am23	B
	☽P♄	0 41	B
	☽□♅	2 34	B
	☽⊡♆	3 2	b
	☽△☿	3 43	G
	☽△☉	4 51	G
	☽P♆	9 12	D
	☽P♃	11 25	G
	☽∠♄	3pm 7	b
	☽⊡♀	8 35	b
	☿⊽♅	8 50	
	☽✶♇	9 55	G
	☽☍♃	10 59	B
15 Th	☽⊡☿	4am 3	b
	☽△♆	5 4	G
	☿✶♂	7 2	
	☽⊡☉	8 55	b
	☽P♇	4pm30	D
	☽✶♄	5 22	G
	♂□♅	5 29	
16 F	☽∠♇	0am 3	b
	♀∠♃	3 45	
	♂∠♆	4 20	
	☽✶♅	6 44	G
	☽P♅	9pm 7	B
	☿☌♀	10 58	
17 S	☽⊻♇	2am31	g
	☽∠♅	9 16	b
	☽□♆	9 56	B
	☽P♀	10 5	G
	☉P☿	10 29	
	☽⊡♂	11 35	b
	☿∠♃	5pm54	
	☽□♄	10 48	B
18 𝔖	☽P☿	0am31	G
	☽P☉	2 58	G
	☽☍☿	6 46	B
	☽⊡♃	7 47	b
	♀⊽♅	10 27	
	☽P☉	11 17	G
	☽⊻♅	0pm12	g
	☽☍♀	0 23	B
	☽P☿	3 47	G
	☽△♂	4 11	G
	☽☍☉	11 34	B
19 M	☽P♀	1am32	G
	☽☌♇	8 43	D
	☽△♃	11 38	G
	☽✶♆	4pm31	G
	☽P♅	6 30	B
20 Tu	☽△♄	6am13	G
	☽☌♅	7pm48	B
	☽∠♆	8 44	b
21 W	☽P♇	1am56	D
	☿P♀	3 11	
	☽□♂	3 28	B
	☽⊡♄	10 55	b
	☽⊡☿	2pm27	b
	☽⊻♇	5 20	g
	☽□♃	9 23	B
22 Th	☽⊻♆	1am37	g
	♀✶♂	4 30	
	☽P♃	8 3	G
	☽⊡♀	10 38	b
	☽P♆	0pm52	D
	☽△☿	6 37	G
	☽⊡☉	8 41	b
	☽∠♇	10 41	b
	☽P♄	11 40	B
23 F	☽P♂	1am52	B
	☽⊻♅	6 5	g
	☿±♅	7 25	
	☉Q♄	5pm55	
	☽✶♂	6 0	G
	☽△♀	7 53	G
	☉☍♇	8 37	
24 S	☽△☉	4am22	G
	☽✶♇	4 37	G
	☽✶♃	9 52	G
	☽∠♅	0pm 6	b
	☉P♀	0 13	
	☽☌♆	1 20	D
	♂P♄	10 48	
25 𝔖	☽∠♂	2am13	b
	☽☍♄	4 55	B
	☽□☿	5 16	B
	☽∠♃	4pm45	b
	☽✶♅	6 27	G
	☿□♄	10 15	
26 M	☽⊻♂	9am 1	g
	☽□♀	1pm54	B
	☽□♇	4 0	B
	☉✶♃	9 42	
	☿∠♂	9 52	
	☽⊻♃	11 33	g
	☽□☉	11 44	B
27 Tu	☽⊻♆	2am 9	g
	♂⊡♄	3 49	
	♀☍♇	6 10	
	☿Stat	8 25	
	♀Q♄	10 48	
	☽✶☿	5pm34	G
28 W	☽P♄	3am15	B
	☉△♆	4 6	
	☽□♅	6 42	B
	☽P♂	7 15	B
	☽∠♆	8 9	b
	☽P♆	2pm38	D
	☽P♃	9 6	G
	☽∠☿	11 29	b
	☽⊡♄	11 52	b
29 Th	☽☌♂	2am16	B
	☽△♇	4 54	G
	☽✶♀	10 14	G
	☽☌♃	11 52	G
	☽✶♆	1pm25	G
	☽✶☉	4 18	G
30 F	☽P♇	0am41	D
	☽⊻☿	4 47	g
	☽△♄	4 51	G
	♀✶♃	4 51	
	☽⊡♇	9 30	b

MAR.—*contd.*

Day	Aspect	Time	
30	☿ □ ♄	9*am*36	
	☿ ± ♅	3*pm*53	
	☽ △ ♅	4 16	G
	☽ ∠ ♀	5 44	b
	♀ △ ♆	5 54	
	♂ △ ♇	10 29	
	☽ ∠ ☉	10 55	b
31	☽ P ♅	8*am*58	B
S	☽ ⊻ ♂	1*pm*59	g
	☽ P ☿	5 7	G
	☽ ⚼ ♅	7 37	b
	☽ ⊻ ♃	8 24	g
	☽ □ ♆	9 7	B
	☽ P ☉	11 47	G
	☽ ⊻ ♀	11 56	g

APRIL

Day	Aspect	Time	
1	☽ ⊻ ☉	4*am*15	g
𝕾	☽ P ♀	8 5	G
	☽ □ ♄	11 52	B
	☽ ☌ ☿	0*pm*57	G
	☽ ∠ ♂	6 6	b
	☽ ∠ ♃	11 12	b
2	☽ P ♀	6*am*18	G
M	☽ P ☉	3*pm* 2	G
	☽ ☍ ♇	5 34	B
	☽ P ☿	6 53	G
	☽ ✶ ♂	9 16	G
3	☽ ✶ ♃	1*am* 7	G
Tu	☽ △ ♆	1 10	G
	☽ P ♅	2 16	B
	♃ ✶ ♆	4 19	
	☽ ☌ ♀	8 47	G
	☽ ☌ ☉	11 46	D
	☽ ✶ ♄	3*pm*25	G
	☽ ⊻ ☿	6 6	g
	♂ P ♆	9 30	
4	☽ ☍ ♅	0*am*40	B
W	☽ ⚼ ♆	2 12	b
	☽ P ♇	7 51	D
	☽ ∠ ♄	4*pm*24	b
	☉ P ☿	5 14	
	☽ ∠ ☿	8 2	b
5	☽ □ ♂	1*am*42	B
Th	☽ □ ♃	3 26	B
	☽ P ♃	5 47	G
	☽ P ♂	11 14	B
	☽ P ♆	0*pm*45	D
	☽ ⊻ ♀	2 58	g
	☽ ⊻ ☉	4 51	g
	☽ ⊻ ♄	5 10	g
	☽ ⚼ ♇	8 3	b
	☽ ✶ ☿	9 54	G
	☉ ✶ ♄	9 56	
	☽ P ♄	11 14	B
6	♂ ✶ ♆	1*am*42	
F	☽ ∠ ♀	5*pm*51	b
	♀ ✶ ♄	6 43	
	☽ ∠ ☉	7 15	b
	☽ △ ♇	8 39	G
	♂ ☌ ♃	10 13	
7	☽ ⚼ ♅	2*am*26	b
S	☽ ☍ ♆	4 6	B
	☽ △ ♃	5 13	G
	☽ △ ♂	5 30	G
	☿ P ♀	8 45	
	☽ ☌ ♄	6*pm*44	B
	☽ ✶ ♀	8 59	G
	☽ ✶ ☉	9 53	G
8	☽ □ ☿	2*am*20	B
𝕾	☽ △ ♅	3 15	G
	☽ ⚼ ♃	6 24	b
	☽ ⚼ ♂	7 44	b
	☿ ∇ ♅	4*pm*47	
	☽ □ ♇	10 33	B
9	☉ P ♅	11*a* 58	
M	☉ ☌ ♀	7*pm*14	
	☽ ⊻ ♄	9 52	g
10	☽ P ♄	1*am*54	B
Tu	☽ □ ☉	4 29	B
	☽ □ ♀	4 41	B
	♀ Q ♃	5 29	
	☽ □ ♅	6 2	B
	☽ ⚼ ♆	7 56	b
	☉ Q ♃	8 38	
	☽ △ ☿	8 51	G
	☽ P ♆	1*pm*24	D
	♀ ☍ ♅	7 27	
	☽ P ♂	8 32	B
	☽ P ♃	9 50	G
11	☽ ∠ ♄	0*am* 1	b
W	☉ ☍ ♅	1 32	
	☽ ✶ ♇	2 3	G
	☿ ∠ ♃	2 52	
	☽ △ ♆	10 4	G
	☽ ☍ ♃	0*pm*26	B
	☽ ⚼ ☿	1 7	b
	♀ ⚼ ♆	4 51	
	☽ ☍ ♂	5 18	B
	♀ P ♅	6 28	
	☽ P ♇	7 41	D
12	☽ ✶ ♄	2*am*39	G
Th	☽ ∠ ♇	4 29	b
	☉ ⚼ ♆	4 37	
	♂ P ♃	8 10	
	☽ ✶ ♅	10 35	G
	☽ △ ☉	1*pm*18	G
	☽ △ ♀	2 42	G
	☽ P ☉	10 25	G
13	☽ P ♀	1*am*29	G
F	☽ P ♅	4 23	B
	☽ ⊻ ♇	7 22	g
	☽ ∠ ♅	1*pm*31	b
	☽ □ ♆	3 41	B
	♀ Q ♂	6 18	
	☽ ⚼ ☉	6 33	b
	☽ ⚼ ♀	8 37	b
	☽ P ☿	10 4	G
14	☽ □ ♄	9*am*18	B
S	☽ ⊻ ♅	4*pm*55	g
	☽ ⚼ ♃	10 37	b
15	☽ P ☿	3*am*27	G
𝕾	☽ ☍ ☿	6 9	B
	☽ ⚼ ♂	7 37	b
	☽ ☌ ♇	2*pm*28	D
	☽ ✶ ♆	11 6	G
	☽ P ♅	11 40	B
16	☽ △ ♃	2*am*57	G
M	☽ P ♀	10 35	G
	☽ P ☉	0*pm*23	G
	☽ △ ♂	1 30	G
	☿ ∠ ♂	5 32	
	☽ △ ♄	5 51	G
17	☽ ☌ ♅	1*am* 6	B
Tu	☽ ∠ ♆	3 33	b
	☽ P ♇	11 12	D
	☉ Q ♂	1*pm*48	
	☽ ☍ ☉	1 51	B
	☽ ☍ ♀	6 11	B
	☽ ⚼ ♄	10 55	b
	☽ ⊻ ♇	11 32	g
18	☽ P ♂	3*am*56	B
W	☽ ⊻ ♆	8 33	g
	☽ P ♃	9 45	G
	☽ □ ♃	1*pm*13	B
	☿ ☍ ♇	6 4	
	☽ P ♆	8 48	D
	♀ ± ♆	8 52	
19	☽ □ ♂	3*am*11	B
Th	☽ ∠ ♇	4 54	b
	☽ ⚼ ☿	6 15	b
	☽ ⊻ ♅	11 25	g
	☽ P ♄	11 28	B
	☉ P ♀	0*pm*21	
	♀ ∠ ♄	9 28	
	♀ ∇ ♇	10 57	
20	♂ △ ♄	6*am*40	
F	♂ ⚼ ♇	7 35	
	☽ ✶ ♇	10 46	G
	☽ △ ☿	4*pm* 3	G
	☽ ∠ ♅	5 21	b
	☽ ☌ ♆	8 5	D
	☿ Q ♄	11 24	
21	☽ ✶ ♃	1*am*37	G
S	☉ ± ♆	5 25	
	☽ ⚼ ☉	3*pm* 5	b
	☽ ☍ ♄	5 20	B
	☽ ✶ ♂	7 14	G
	☽ ⚼ ♀	10 3	b
	☽ ✶ ♅	11 37	G
22	☿ △ ♆	1*am*56	
𝕾	☽ ∠ ♃	8 23	b
	♂ Q ♆	1*pm*22	
	☉ ∇ ♇	2 10	
	☉ ∠ ♄	9 26	
	☽ □ ♇	11 30	B
23	☽ △ ☉	0*am*21	G
M	☽ ∠ ♂	3 42	b
	☽ △ ♀	8 8	G
	☽ ⊻ ♆	8 55	g
	☽ □ ☿	1*pm*18	B
	☽ ⊻ ♃	3 10	g
	♀ ∇ ♆	3 29	
24	☿ ✶ ♃	5*am*15	
Tu	☽ P ♄	5 48	B
	☽ ⊻ ♂	0*pm* 1	g
	☽ □ ♅	0 17	B
	☽ ∠ ♆	3 11	b
	♂ △ ♅	4 26	
	♀ ± ♇	5 24	
	☽ P ♆	9 23	D
25	☽ P ♃	9*am*38	G
W	☽ △ ♇	11 47	G
	☽ ⚼ ♄	1*pm* 3	b
	☽ □ ☉	5 58	B
	☽ ✶ ♆	8 55	G
	☽ P ♂	11 54	B
26	☽ □ ♀	2*am*59	B
Th	☽ ☌ ♃	3 33	G
	☽ P ♇	6 50	D
	☽ P ♀	8 55	G
	♀ □ ♃	9 8	
	☽ ✶ ☿	9 39	G
	☽ P ☉	0*pm*31	G
	☽ ⚼ ♇	4 58	b
	☽ △ ♄	6 30	G
	☽ △ ♅	11 0	G
27	☽ ☌ ♂	2*am*26	B
F	☉ ∇ ♆	6 6	
	♀ P ♇	7 3	
	☽ ∠ ☿	6*pm*10	b
	☽ P ♅	7 19	B
	♀ ⊥ ♄	8 43	
28	☽ ⚼ ♅	2*am*58	b
S	☽ □ ♆	5 44	B
	☽ ✶ ☉	7 40	G
	☽ P ☿	9 42	G
	☽ ⊻ ♃	0*pm*28	g
	☉ ± ♇	2 52	
	☽ ✶ ♀	5 16	G
	♀ P ♂	6 47	
29	☽ ⊻ ☿	1*am*15	g
𝕾	☽ □ ♄	2 22	B
	☿ ✶ ♄	10 52	
	☽ ⊻ ♂	0*pm*15	g
	☽ ∠ ☉	0 33	b
	☽ ∠ ♃	3 17	b
	☉ P ♇	8 44	
	☽ ∠ ♀	10 20	b
30	☽ P ☿	1*am*46	G
M	☽ ☍ ♇	2 34	B
	☽ P ♅	10 17	B
	☽ △ ♆	10 28	G
	☉ P ♂	1*pm*29	
	☿ ☍ ♅	2 20	
	☽ ∠ ♂	3 22	b
	☽ ⊻ ☉	4 12	g
	☽ ✶ ♃	5 8	G

MAY

Day	Aspect	Time	
1	☽ ⊻ ♀	2*am*10	g
Tu	☽ ✶ ♄	6 8	G
	☉ □ ♃	7 8	
	☽ ☍ ♅	8 55	B
	☽ ☌ ☿	11 27	G
	☽ ⚼ ♆	11 30	b
	☿ ⚼ ♆	11 53	
	♂ P ♇	0*pm*16	
	☽ ✶ ♂	5 35	G
	☽ P ♂	6 28	B
	☽ P ♇	6 45	D
	♀ ⚼ ♇	9 27	
	☽ P ☉	9 41	G
2	☿ Q ♃	3*am*13	
W	☽ P ♀	4 12	G
	☽ ∠ ♄	6 55	b
	☽ P ♃	11 26	G
	♂ ± ♇	3*pm*12	
	☽ □ ♃	6 40	B
	☽ ☌ ☉	8 56	D
	☿ P ♅	9 5	
	☽ P ♆	10 11	D
3	☽ ⚼ ♇	4*am*35	b
Th	♀ ⊻ ♄	5 4	
	☽ ⊻ ♄	7 15	g
	☽ ☌ ♀	7 26	G
	☉ ⊥ ♄	7 50	
	☽ P ♄	11 49	B
	☽ ⊻ ☿	6*pm*25	g
	☽ □ ♂	8 23	B
4	☽ △ ♇	4*am*34	G
F	♀ ∇ ♅	7 13	
	☽ ⚼ ♅	9 22	b
	☽ ☍ ♆	11 57	B
	☽ △ ♃	7*pm* 0	G
	☿ ✶ ♂	8 7	
	☽ ∠ ☿	9 43	b
5	☽ ⊻ ☉	0*am*18	g
S	☽ ☌ ♄	7 42	B
	☽ △ ♅	9 25	G
	☽ ⊻ ♀	11 51	g
	♀ P ♃	5*pm*50	
	☽ ⚼ ♃	7 20	b
	☽ △ ♂	11 3	G
6	☽ ✶ ☿	1*am*24	G
𝕾	☽ ∠ ☉	2 18	b
	☽ □ ♇	4 54	B
	☿ ± ♆	10 58	
	☽ ∠ ♀	2*pm*35	b
7	☽ ⚼ ♂	0*am*59	b
M	☽ P ♄	4 6	B
	☿ ∇ ♇	4 36	
	☽ ✶ ☉	4 49	G
	☽ ⊻ ♄	9 22	g
	☽ □ ♅	10 36	B
	☽ ⚼ ♆	1*pm*22	b
	☉ ⚼ ♇	5 11	
	☽ ✶ ♀	5 59	G
	☽ P ♆	6 52	D
8	☽ P ♀	1*am*39	G
Tu	☽ P ♃	6 36	G
	☽ ✶ ♇	7 1	G
	☿ ∠ ♄	9 54	
	☽ P ☉	10 36	G
	☽ ∠ ♄	11 3	b
	☽ □ ☿	11 13	B
	☽ △ ♆	2*pm*55	G
	☽ ☍ ♃	11 14	B
	☽ P ♇	11 36	D
9	♀ ± ♅	0*am*42	
W	☽ P ♂	8 24	B
	☽ ∠ ♇	9 2	b
	☽ P ☿	11 20	G
	☽ □ ☉	0*pm* 7	B
	☿ ∇ ♆	1 16	
	☽ ✶ ♄	1 27	G
	☽ ✶ ♅	2 10	G
10	☿ P ♂	1*am* 8	
Th	☽ □ ♀	3 19	B
	☿ ± ♇	6 23	
	☉ ⊻ ♄	8 55	
	☽ P ♅	10 44	B
	☽ ☍ ♂	11 8	B
	☽ ⊻ ♇	11 44	g
	☉ ∇ ♅	3*pm*49	
	☽ ∠ ♅	4 59	b
	☽ □ ♆	8 1	B
	♂ ∇ ♇	10 17	
	☉ P ♃	11 49	
11	☽ △ ☿	1*am*32	G
F	♀ P ♆	9 59	
	☽ □ ♄	8*pm*20	B
	☽ ⊻ ♅	8 26	g
	☽ △ ☉	10 50	G
12	☿ □ ♃	1*am*42	
S	♄ △ ♅	5 22	
	☽ ⚼ ♃	9 7	b
	☽ ⚼ ☿	10 29	b
	☿ P ♇	1*pm*32	
	☽ △ ♀	4 16	G
	☽ ☌ ♇	7 9	D
13	☽ P ♅	3*am* 5	B
𝕾	☽ ✶ ♆	3 45	G
	☽ ⚼ ☉	5 23	b
	☽ △ ♃	1*pm*39	G
	☿ ⊥ ♄	5 19	
	♀ △ ♇	9 39	
	☽ ⚼ ♀	11 57	b
14	☽ P ♂	1*am*53	B
M	☽ ⚼ ♂	4 13	b
	☽ ☌ ♅	5 11	B
	☽ △ ♄	5 46	G
	☽ ∠ ♆	8 29	b
	☿ Q ♂	9 38	
	☿ ⚼ ♇	3*pm*22	
	☽ P ♇	5 35	D

MAY—*contd.*

Day	Aspect	Time	
14	♂⚼♅	8pm24	
15 Tu	☽⊻♇	4am50	g
	☽P☿	5 38	G
	☽△♂	11 13	G
	☽⚼♄	11 19	b
	☽P♃	0pm20	G
	☽⊻♆	1 43	g
	☽P☉	8 55	G
	☿∇♅	10 53	
16 W	☽□♃	0am20	B
	☽P♆	2 25	D
	♀⚼♅	3 33	
	☿⊻♄	5 45	
	☽∠♇	10 25	b
	☽P♀	2pm44	G
	☿P♃	3 24	
	☽⊻♅	3 57	g
	☉±♅	4 6	
	☽☍☿	7 42	B
	☽P♄	9 27	B
17 Th	☽☍☉	4am59	B
	♂□♆	5 1	
	♀☍♆	0pm29	
	☽✱♇	4 24	G
	☽∠♅	9 58	b
	♀□♂	10 43	
18 F	☽☌♆	1am27	D
	☽□♂	2 46	B
	☽☍♀	2 59	B
	☽✱♃	0pm42	G
	☿±♅	4 46	
19 S	☉P♆	3am18	
	☽✱♅	4 16	G
	☽☍♄	6 27	B
	☿P♆	11 41	
	☉P☿	3pm43	
	♀P♄	3 51	
	☽∠♃	7 16	b
20 Su	☽□♇	5am12	B
	☉☌☿	8 23	
	☽⊻♆	2pm15	g
	☽✱♂	7 33	G
21 M	☽⊻♃	1am53	g
	☽P♀	4 25	G
	☽P♄	7 47	B
	☽⚼☉	8 18	b
	☽⚼☿	11 20	b
	☿△♇	1pm 2	
	☽P☿	4 10	G
	☽□♅	5 6	B
	☽∠♆	8 37	b
	☽P☉	11 0	G
22 Tu	♀△♃	3am10	
	☽P♆	3 44	D
	☽∠♂	3 51	b
	☽⚼♀	8 52	b
	☽△☉	5pm12	G
	☽△♇	5 51	G
	☽P♃	6 7	G
	☿⚼♅	6 9	
23 W	☽△☿	0am19	G
	☉△♇	1 17	
	☽⚼♄	2 31	b
	☽✱♆	2 39	G
	☿P♄	5 44	
	☽⊻♂	11 40	g
	☽P♇	0pm50	D
	☿☍♆	1 4	
	☽☌♃	2 15	G
	☽△♀	6 5	G

Day	Aspect	Time	
23	☽⚼♇	11p32	b
24 Th	☽△♅	4am41	G
	☽△♄	8 19	G
	☽P♂	5pm37	B
25 F	☽P♅	4am 4	B
	☽□☉	8 40	B
	☽⚼♅	9 24	b
	♂⊻♃	10 14	
	☿P♀	10 45	
	☽□♆	0pm41	B
	☉⚼♅	6 7	
	☽□☿	10 28	B
	☽⊻♃	11 49	g
26 S	☽☌♂	0am33	B
	☿△♃	6 35	
	☽□♀	9 15	B
	☿□♂	4pm 9	
	☽□♄	5 9	B
27 Su	☽∠♃	3am 6	b
	♂±♅	5 37	
	☽☍♇	11 18	B
	☉☍♆	0pm34	
	☽P♅	5 57	B
	☽△♆	6 52	G
	☽✱☉	7 22	G
28 M	☽P♂	0am 0	B
	♀△♅	2 5	
	☽✱♃	5 21	G
	☽⊻♂	8 47	g
	☽✱☿	1pm36	G
	☽☍♅	5 35	B
	☽✱♀	7 4	G
	☽⚼♆	8 30	b
	☽✱♄	9 54	G
	☽∠☉	10 53	b
29 Tu	☽P♇	4am36	D
	☽∠♂	11 16	b
	☿△♅	4pm38	
	☽∠☿	6 47	b
	☽P♃	8 17	G
	☽∠♀	10 15	b
	☽∠♄	10 56	b
30 W	☽⊻☉	1am24	g
	☽□♃	7 16	B
	♀☌♄	7 18	
	☽P♆	7 47	D
	☽✱♂	0pm55	G
	☽⚼♇	2 40	b
	♃ Stat	9 53	
	☽P☉	10 50	G
	☽⊻☿	10 52	g
	☽⊻♄	11 20	g
31 Th	☽⊻♀	0am37	g
	☽P♄	0 43	B
	☿☌♄	2 33	
	☽△♇	2pm35	G
	☽⚼♅	6 35	b
	☽P♀	8 26	G
	☽☍♆	9 19	B

JUNE

Day	Aspect	Time	
1 F	☽☌☉	4am35	D
	☿☌♀	6 32	
	☽△♃	7 4	G
	☽□♂	2pm51	B
	☉P♄	6 1	
	☽△♅	6 16	G
	☽☌♄	11 16	B
2 S	☽☌♀	4am19	G
	☽☌☿	5 30	G
	☽⚼♃	6 47	b
2	☽P♀	0pm 6	G
	☽□♇	2 3	B
	☿⚼♃	3 47	
	♂P♅	6 18	
	☉△♃	7 51	
3 Su	♂⊥♃	4am11	
	☽⊻☉	7 28	g
	☽P☉	8 16	G
	☽P♄	9 52	B
	♀⚼♃	10 44	
	☽△♂	5pm 0	G
	☽□♅	6 7	B
	☽⚼♆	8 53	b
	☽⊻♄	11 45	g
4 M	☽P♆	3am20	D
	☽⊻♀	8 57	g
	☽∠☉	9 34	b
	☽⊻☿	0pm52	g
	☽P♃	2 36	G
	☽✱♇	2 38	G
	♂∇♅	4 34	
	☽⚼♂	6 50	b
	☽△♆	9 33	G
5 Tu	☽∠♄	0am45	b
	☿□♇	2 56	
	☽P♇	6 46	D
	☽☍♃	8 2	B
	☽∠♀	0pm21	b
	☽✱☉	0 26	G
	☽∠♇	3 50	b
	☽∠☿	5 43	b
	☽✱♅	8 1	G
6 W	☽✱♄	2am32	G
	☽✱♀	4pm49	G
	☽⊻♇	5 50	g
	☽P♅	5 50	B
	☽∠♅	10 7	b
	☽P♂	10 15	B
	☽✱☿	11 37	G
7 Th	☽□♆	1am 5	B
	♀□♇	4 14	
	☿∇♆	11 5	
	☿±♃	2pm45	
	☽□☉	9 13	B
8 F	☽⊻♅	1am 5	g
	☽☍♂	5 38	B
	☽□♄	8 40	B
	☽⚼♃	3pm42	b
	☽P♂	11 59	B
9 S	☽☌♇	0am29	D
	☽□♀	5 7	B
	☽P♅	7 2	B
	☽✱♆	8 3	G
	☽□☿	2pm54	B
	☽△♃	7 56	G
10 Su	☉△♅	1am59	
	☽☌♅	9 33	B
	☽△☉	10 11	G
	♀∇♆	11 4	
	☽∠♆	0pm43	b
	♀±♃	3 55	
	☽△♄	6 12	G
	☽P♇	10 10	D
11 M	☿±♆	2am50	
	♂□♄	5 14	
	☿∇♃	6 39	
	☽⊻♇	10 10	g
	☽P♃	5pm57	G
	☽⚼☉	6 1	b
	☽⊻♆	6 3	g
	♇ Stat	7 0	
	☽△♀	9 36	G

Day	Aspect	Time	
12 Tu	☽⚼♄	0am 1	b
	☽⚼♂	0 54	b
	☽□♃	6 23	B
	☽P♆	6 52	D
	☽△☿	9 51	G
	☽∠♇	3pm56	b
	☽⊻♅	8 39	g
13 W	☽P♄	5am33	B
	☽⚼♀	6 57	b
	☽△♂	8 41	G
	☽P☉	5pm46	G
	☽⚼☿	8 6	b
	☽✱♇	10 6	G
14 Th	☽∠♅	2am49	b
	☽☌♆	6 3	D
	☽P♀	9 24	G
	☽P☿	9 37	G
	☿P♀	11 0	
	☽✱♃	6pm35	G
15 F	♀±♆	6am27	
	☉☌♄	9 2	
	☽✱♅	9 15	G
	♀∇♃	9 52	
	☽☍♄	7pm46	B
	☽☍☉	8 35	B
	♂∠♃	10 6	
16 S	☽∠♃	0am56	b
	☽□♂	1 8	B
	☿□♅	6 56	
	☽P♀	10 41	G
	☽□♇	11 2	B
	☽⊻♆	6pm52	g
	☽P☿	7 20	G
	☿Q♇	7 58	
	☽P☉	9 4	G
17 Su	☉P☿	4am 9	
	☽⊻♃	7 17	g
	☽P♄	10 53	B
	☿⚼♆	0pm 6	
	☽☍♀	0 44	B
	☽□♅	10 7	B
	☉⚼♃	11 50	
18 M	☽∠♆	1am13	b
	☽☍☿	2 44	B
	☽P♆	10 12	D
	☽✱♂	5pm29	G
	☽P♃	10 10	G
	☽△♇	11 42	G
19 Tu	☽✱♆	7am16	G
	☽⚼♄	3pm37	b
	☽☌♃	7 16	G
	☽P♇	7 26	D
	☽⚼☉	11 13	b
20 W	☽∠♂	1am 7	b
	☽⚼♇	5 30	b
	☽△♅	9 58	G
	☿P♄	2pm23	
	☽△♄	9 28	G
21 Th	☉P♀	3am 9	
	☽△☉	7 1	G
	♀□♅	7 24	
	☽⊻♂	8 4	g
	☿⊻♄	8 49	
	☽P♅	10 50	B
	☽⚼♅	3pm 4	b
	☽⚼♀	3 54	b
	☽□♆	5 53	B
	♀Q♇	10 9	
22 F	☽⚼☿	3am56	b
	☽⊻♃	5 11	g
	☽P♂	9 0	B
	♀⚼♆	11 52	

Day	Aspect	Time	
22	☽△♀	11p13	G
23 S	☉□♂	0am16	
	☽P♂	2 50	B
	☽□♄	6 54	B
	☉□♇	7 59	
	☽∠♃	8 59	b
	☽△☿	10 8	G
	♂☍♇	11 34	
	☽☍♇	6pm54	B
	☽☌♂	7 16	B
	☽□☉	7 45	B
24 Su	☽P♅	0am54	B
	☽△♆	1 30	G
	☽✱♃	11 56	G
25 M	☽☍♅	1am33	B
	☽⚼♆	3 58	b
	☽□♀	10 18	B
	☽P♇	0pm14	D
	☽✱♄	0 49	G
	☽□☿	6 44	B
26 Tu	☽⊻♂	2am24	g
	☽✱☉	4 6	G
	☽P♃	7 40	G
	☽∠♄	2pm26	b
	☽□♃	3 11	B
	☽P♆	4 33	D
	♀⊻♄	6 9	
	☉±♃	7 3	
	☽P☿	7 31	G
	♅ Stat	10 29	
27 W	☽⚼♇	0am40	b
	☉∇♆	2 8	
	☽∠♂	4 33	b
	☽∠☉	6 48	b
	♀P♄	0pm 0	
	☽P♀	0 17	G
	☽P♄	0 17	B
	☽⊻♄	3 20	g
	☽✱♀	5 2	G
	☽P☉	10 7	G
	☽✱☿	11 1	G
28 Th	☽△♇	1am 7	G
	☿P♆	2 44	
	☽⚼♅	4 39	b
	☽✱♂	6 1	G
	☽☍♆	6 46	B
	☽⊻☉	8 47	g
	☽△♃	3pm44	G
	♃⚼♄	5 32	
	☽∠♀	7 18	b
	♂△♆	11 16	
29 F	☽∠☿	0am 4	b
	☽△♅	4 36	G
	☽⚼♃	3pm27	b
	☽☌♄	3 46	B
	☽⊻♀	9 12	g
30 S	☽⊻☿	0am45	g
	☽□♇	0 56	B
	☿✱♇	7 3	
	☽□♂	7 50	B
	☽P☉	10 48	G
	☽☌●	11 39	D
	☽P♄	6pm49	B

JULY

Day	Aspect	Time	
1 Su	☽P♀	1am27	G
	☿⊥♄	4 11	
	☽□♅	4 13	B
	☽⚼♆	6 13	b
	☽P♆	2pm 7	D
	☽⊻♄	3 52	g

JULY—*contd.*

Day	Aspect	Time	
1	♀✶♇	*8pm* 3	
	☽P☿	9 32	G
	☽P♃	9 40	G
	☿P♃	11 26	
2 M	☽✶♇	*0am*49	G
	☽☌♀	1 15	G
	☽☌☿	2 0	G
	♀⊥♄	6 16	
	☽△♆	6 20	G
	☽△♂	10 0	G
	☉▽♃	*1pm*15	
	☿☌♀	1 46	
	☽☍♃	3 0	B
	☽⊻☉	3 8	g
	☽∠♄	4 25	b
	☽P♇	5 25	D
3 Tu	☽∠♇	*1am*22	b
	☽✶♅	4 58	G
	☉±♆	5 45	
	☽⚼♂	11 53	b
	☽✶♄	*5pm*35	G
	☽∠☉	5 51	b
4 W	☽P♅	*2am*25	B
	☽⊻♇	2 37	g
	☽⊻☿	4 51	g
	☽∠♅	6 19	b
	☽⊻♀	7 47	g
	☽□♆	8 20	B
	♀△♆	*2pm* 4	
	☽✶☉	9 32	G
5 Th	☽P♂	*3am*27	B
	☽∠☿	7 17	b
	☽⊻♅	8 32	g
	☽P♂	11 46	B
	☽∠♀	*0pm*38	b
	☽⚼♃	7 40	b
	☽□♄	10 31	B
6 F	♀Q♅	*2am*25	
	☽☌♇	7 47	D
	☽✶☿	10 32	G
	☽P♅	*1pm*44	B
	☽✶♆	1 46	G
	♂✶♃	4 17	
	☿Stat	4 59	
	☽✶♀	6 49	G
	☽△♃	11 0	G
	☽☍♂	11 24	B
7 S	☽□☉	*8am*27	B
	☽☌♅	*3pm*53	B
	☽∠♆	5 57	b
	♀P♆	8 33	
8 𝔖	☽P♇	*2am*46	D
	☽△♄	7 25	G
	♀☍♃	*0pm* 7	
	☽P☿	3 22	G
	☽⊻♇	4 45	g
	☽□☿	7 18	B
	☿⊥♄	10 45	
	☽⊻♆	10 59	g
9 M	☽P♃	*4am*27	G
	☽□♃	8 22	B
	☽P♀	8 35	G
	☽□♀	10 49	B
	☽P♆	*0pm* 8	D
	☉P♄	0 43	
	☽⚼♄	1 9	b
	☽∠♇	10 27	b
	☽△☉	11 51	G
10 Tu	☽⊻♅	*2am*41	g
	☽P☉	11 41	G
10	♀∠♄	*0pm*31	
	☽P♄	0 59	B
	♀△♂	4 3	
	☽⚼♂	8 1	b
	♀P♃	10 31	
11 W	☽✶♇	*4am*40	G
	☽△☿	5 57	G
	☽⚼☉	8 43	b
	☽∠♅	8 58	b
	☽☌♆	10 56	D
	☉□♅	11 55	
	☽✶♃	*8pm* 7	G
12 Th	☽△♂	*4am* 3	G
	☽△♀	6 8	G
	☉Q♇	10 27	
	☽⚼☿	11 28	b
	☉⚼♆	11 52	
	☽✶♅	*3pm*29	G
	☿✶♇	7 5	
13 F	☽∠♃	*2am*20	b
	☽☍♄	9 6	B
	☽⚼♀	*4pm* 8	b
	☽□♇	5 43	B
	☽⊻♆	11 50	g
14 S	♀∠♇	*7am*41	
	☽⊻♃	8 30	g
	☽P♄	*3pm*44	B
	☽□♂	8 11	B
	☽P☉	11 28	G
15 𝔖	☽□♅	*4am*23	B
	☽∠♆	6 6	b
	☽☍☉	11 56	B
	☽P♆	*4pm*54	D
	☽P♃	10 54	G
16 M	♀✶♅	*2am* 5	
	☽☍☿	2 32	B
	☽△♇	6 13	G
	☽✶♆	*0pm* 3	G
	☽P♀	1 31	G
	♂Q♄	4 52	
	☽P☿	6 35	G
	☽☌♃	8 0	G
17 Tu	☽P♇	*3am* 9	D
	☽⚼♄	4 20	b
	☽✶♂	10 58	G
	☽⚼♇	11 53	b
	☽△♅	*4pm* 1	G
	☽☍♀	8 6	B
18 W	☽△♄	*9am*52	G
	☿P♀	*0pm* 9	
	☽P♅	4 9	B
	☽∠♂	5 30	b
	☿⊻♄	7 36	
	☽⚼♅	9 6	b
	☽□♆	10 30	B
19 Th	☽⊻♃	*5am*41	g
	☽P♂	6 2	B
	☽⚼☉	11 23	b
	☽⚼☿	*1pm*41	b
	☽⊻♂	11 23	g
20 F	☉☌☿	*6am* 6	
	☽∠♃	9 41	b
	☽△☿	*4pm*21	G
	☽△☉	5 44	G
	☽□♄	7 8	B
	☽P♂	7 33	B
21 S	☽☍♇	*1am*34	B
	☽△♆	6 37	G
	☽P♅	7 38	B
	☽✶♃	*1pm* 2	G
	☉⊻♄	3 18	
	☽⚼♀	5 43	b
21	♀⊥♇	*8pm*52	
	☿⊻♀	11 27	
22 𝔖	♂☍♅	*3am*26	
	☽☍♅	8 36	B
	☽☌♂	8 49	B
	☽⚼♆	9 42	b
	♀P♇	10 35	
	☽P♀	*4pm*55	G
	☽P♇	5 28	D
	☽□☿	8 5	B
	☽△♀	11 10	G
23 M	☽✶♄	*1am*42	G
	☽□☉	3 57	B
	☽P☿	4 53	G
	♂⚼♆	5 37	
	♂Q♃	*4pm*59	
	☽□♃	5 44	B
	☽P♃	8 39	G
24 Tu	☽P♆	*0am* 5	D
	☽P☉	2 55	G
	☽∠♄	3 55	b
	♀✶♄	6 37	
	☽⚼♇	9 19	b
	☽⊻♂	*3pm* 9	g
	☽✶☿	9 46	G
	☽P♄	9 46	B
25 W	☽⊻♄	*5am*30	g
	☉✶♇	6 35	
	☽□♀	7 24	B
	☿⊥♀	8 10	
	☽△♇	10 36	G
	☽✶☉	10 53	G
	☽⚼♅	*2pm* 7	b
	☽☍♆	2 57	B
	☽∠♂	5 15	b
	☽△♃	7 56	G
	☽∠☿	9 57	b
26 Th	☉P♆	*3am*44	
	☽∠☉	*1pm*20	b
	☽△♅	2 50	G
	☽✶♂	6 49	G
	☽⚼♃	8 18	b
	☽⊻☿	9 50	g
	♀⊻♇	10 11	
27 F	☽☌♄	*7am* 9	B
	☽□♇	11 46	B
	☽✶♀	*0pm*57	G
	☽⊻☉	3 20	g
	☉P♃	9 24	
	☉△♆	11 45	
28 S	☽P♄	*4am*31	B
	☽∠♀	*3pm*14	b
	☽□♅	3 23	B
	☽⚼♆	4 0	b
	♀∠♅	5 12	
	☉⊥♄	6 55	
	☽□♂	9 1	B
	☽☌☿	9 19	G
29 𝔖	♀□♆	*0am*47	
	☽P♆	1 3	D
	☽P♃	3 5	G
	☿□♂	3 18	
	☽P☉	5 7	G
	☽⊻♄	7 50	g
	☽✶♇	*0pm*10	G
	☽P☿	0 10	G
	☽△♆	4 11	G
	☽⊻♀	5 33	g
	☽☌☉	6 59	D
	☽☍♃	8 17	B
30 M	☽P♇	*5am*49	D
	☽∠♄	8 22	b
30	☽∠♇	*0pm*35	b
	☉☍♃	0 49	
	☽✶♅	4 6	G
	☉Q♅	6 36	
	☽⊻☿	9 45	g
	☿Stat	9 53	
	☽P♀	10 13	G
	☽△♂	11 35	G
31 Tu	♀▽♃	*0am*13	
	☽✶♄	9 18	G
	☽P♅	11 47	B
	☽⊻♇	*1pm*29	g
	☽P♂	2 50	B
	☿∠♀	3 4	
	☽∠♅	5 5	b
	☽□♆	5 32	B
	☽∠☿	10 54	b
	☽☌♀	11 35	G

AUGUST

Day	Aspect	Time	
1 W	☽⊻☉	*0am* 4	g
	☽⚼♂	1 39	b
	☉P☿	2 0	
	☽⊻♅	*6pm*46	g
	☽⚼♃	10 56	b
2 Th	☽✶☿	*1am* 2	G
	☉⊻♀	1 57	
	☽∠☉	3 54	b
	☽□♄	*1pm*20	B
	♀⚼♂	3 48	
	☽☌♇	5 29	D
	☽✶♆	9 41	G
	☽P♂	9 59	B
	☽P♅	11 40	B
3 F	☽△♃	*1am*20	G
	☽P♀	6 51	G
	☽✶☉	8 51	G
	☽⊻♀	9 29	g
4 S	☽☌♅	*0am*53	B
	☽∠♆	1 9	b
	♀Q♄	6 0	
	☽P♇	8 47	D
	☽□☿	9 4	B
	♀±♃	*0pm* 5	
	☽☍♂	1 31	B
	☽∠♀	4 22	b
	☽△♄	9 14	G
5 𝔖	☽⊻♇	*1am*18	g
	☽P☉	3 7	G
	☽⊻♆	5 40	g
	♂P♅	8 7	
	♀⊥♅	8 58	
	☽□♃	9 2	B
	☽P☿	*4pm* 0	G
	♃±♄	4 14	
	☽P♃	7 7	G
	☽P♆	7 40	D
	☽□☉	10 28	B
6 M	☽✶♀	*0am*32	G
	☽⚼♄	2 39	b
	♀P♂	4 4	
	☽∠♇	6 39	b
	♀P♅	9 56	
	☽⊻♅	10 55	g
	☽P♄	*9pm*14	B
	☽△☿	10 34	G
7 Tu	☽✶♇	*0pm*41	G
	☽∠♅	5 5	b
	☽☌♆	5 5	D
	♅∠♆	6 28	
7	☽✶♃	*8pm*0	G
	♃P♆	11 18	
8 W	☽⚼☿	*7am* 5	b
	☉∠♄	9 40	
	☽⚼♂	10 9	b
	☽△☉	*3pm*54	G
	☽□♀	7 34	B
	☽✶♅	11 36	G
9 Th	☽∠♃	*2am* 8	b
	♂±♆	*3pm*46	
	☽△♂	5 54	G
	☽☍♄	10 14	B
10 F	☽⚼☉	*1am* 7	b
	☽□♇	1 45	B
	☽⊻♆	6 0	g
	☽⊻♃	8 19	g
	☉∠♇	9 6	
	♀⊻♅	*0pm*29	
	☿□♂	8 32	
	☽P♄	9 48	B
11 S	♀⚼♃	*6am*44	
	☽∠♆	*0pm*17	b
	☽□♅	0 35	B
	☽△♀	3 10	G
	☽P♃	10 38	G
	☽P♆	11 37	D
	☽P☿	11 51	G
12 𝔖	☽□♂	*8am*39	B
	☿⊻♄	9 29	
	☽☍☿	11 16	B
	☽△♇	*2pm* 8	G
	☽✶♆	6 7	G
	☉✶♅	6 11	
	☽☌♃	7 46	G
	♀Q♆	10 10	
13 M	☽⚼♀	*0am*14	b
	☽P☉	6 32	G
	☽P♇	*0pm* 5	D
	☿✶♇	1 35	
	☽⚼♄	4 45	b
	☽⚼♇	7 34	b
	☽△♅	11 53	G
14 Tu	☽☍☉	*2am*17	B
	☽P♂	*2pm*53	B
	♀±♂	7 28	
	☽P♅	8 58	B
	☽✶♂	9 4	G
	☽△♄	9 49	G
	☿△♆	10 15	
15 W	☽□♆	*4am* 6	B
	☽⚼♅	4 40	b
	☽⊻♃	5 9	g
	♀☍♃	6 52	
	♆Stat	*3pm*33	
	☽P♀	7 30	G
16 Th	☽∠♂	*2am*15	b
	♂✶♄	3 14	
	☽∠♃	9 0	b
	☽⚼☿	*0pm*55	b
	☉P♇	2 45	
	☽P♀	3 11	G
	☿⊥♄	5 48	
	☽☍♀	10 39	B
17 F	☿Q♅	*1am*12	
	☽□♄	6 10	B
	☽⊻♂	6 48	g
	☽☍♇	8 23	B
	☽△♆	11 47	G
	☽✶♃	*0pm*19	G
	☽P♅	3 12	B
	☽△☿	8 23	G
	☽⚼☉	9 5	b

AUG.—*contd.*

17	☽P♂	10*p* 50	B
18	☽⚼♆	2*pm*52	b
S	☽☍♅	3 39	B
	☽P☉	6 9	G
	☽P♇	9 26	D
19	☽△☉	2*am* 3	G
𝔖	☽⚹♄	0*pm*25	G
	☽☌♂	2 14	B
	♂▽♇	5 1	
	☽□♃	5 32	B
	☽P☿	8 49	G
20	♃⚹♆	1*am* 4	
M	☉⊥♇	1 25	
	☽P♆	6 53	D
	☽P♃	9 22	G
	☽□☿	11 42	B
	☽⚼♀	2*pm*47	b
	☽∠♄	2 51	b
	♀□♄	3 27	
	☽⚼♇	4 35	b
21	☽P♄	5*am*23	B
Tu	☽□☉	10 23	B
	♀☌♇	0*pm*12	
	☽⊻♄	4 51	g
	☽△♇	6 28	G
	☽△♀	7 2	G
	☽⊻♂	7 41	g
	☽△♃	9 5	G
	☽☍♆	9 26	B
	☽⚼♅	10 25	b
22	☿∠♄	0*am*55	
W	♀▽♂	5 39	
	☿∠♇	0*pm*42	
	♀△♃	5 19	
	☽⚹☿	9 7	G
	☽∠♂	9 47	b
	☽⚼♃	10 20	b
	♀⚹♆	11 20	
	☽△♅	11 56	G
23	♂□♃	3*pm* 4	
Th	☽⚹☉	4 48	G
	☿⚹♅	6 1	
	☽☌♄	7 47	B
	☽□♇	9 9	B
	☽⚹♂	11 28	G
24	☽∠☿	2*am* 7	b
F	☽□♀	2 9	B
	☿∠♀	2 33	
	☽P♄	0*pm*24	B
	☽∠☉	7 29	b
	♂▽♆	7 40	
25	☽⚼♆	0*Pm*48	b
S	☽□♅	1 59	B
	☽P♃	6 34	G
	☽⊻☿	6 51	g
	☽P♆	9 43	D
	☉⚹♄	5*pm*32	
	☽⊻♄	9 44	g
	☽⊻☉	10 1	g
	☽⚹♇	10 54	G
26	☽☍♃	0*am*30	B
𝔖	☽△♆	1 34	G
	☽□♂	2 14	D
	☽⚹♀	8 10	G
	☉⊻♇	0*pm* 3	
	☽P☿	0 51	G
	☽P♇	5 36	D
	☽∠♄	10 40	b
	☽∠♇	11 46	b
27	☽⚹♅	3*am*43	G
27	☿⊥♇	4*am*38	
M	☉▽♃	8 16	
	☽P☉	9 4	G
	☽P♂	9 13	B
	☉P♂	11 4	
	☽∠♀	11 15	b
	☉⊥♀	11 38	
	☽☌☿	4*pm*23	G
	☽P♅	8 9	B
	☽⚹♄	11 50	G
28	☽⊻♇	0*am*52	g
Tu	☿P♇	2 40	
	☽☌☉	3 26	D
	☽□♆	3 28	B
	☉□♆	3 52	
	☽∠♅	4 54	b
	☽△♂	5 14	G
	☽P♀	10 16	G
	☽⊻♀	2*pm*47	g
29	☉∠♅	1*am*50	
W	☽⚼♃	3 21	b
	☽⊻♅	6 33	g
	☽⚼♂	7 20	b
	☉△♂	4*pm* 0	
30	☽P♀	0*am* 5	G
Th	☿⚹♄	0 15	
	☽□♄	3 41	B
	☽⊻☿	4 15	g
	☽☌♇	4 35	D
	☽△♃	5 20	G
	☿⊻♇	6 36	
	☽⚹♆	7 14	G
	☽⊻☉	11 8	g
	☿▽♃	11 23	
	☽P♅	11 42	B
	☽P☉	5*pm*48	G
31	☽☌♀	0*am*15	G
F	☿□♆	0 48	
	☽P♂	0 51	B
	☽P☿	5 22	G
	☽∠♆	10 15	b
	☽∠☿	11 54	b
	☽☌♅	0*pm* 3	B
	☿∠♅	0 52	
	☽P♇	4 9	D
	☽∠☉	4 30	b

SEPTEMBER

1	☿△♂	2*am*14	
S	☿P♂	7 58	
	☽△♄	10 47	G
	☽⊻♇	11 32	g
	☽□♃	11 48	B
	☽⊻♆	2*pm*15	g
	☽☍♂	6 30	B
	☽⚹☿	9 6	G
	☽⚹☉	11 2	G
2	☉±♃	0*am*37	
𝔖	☽P♆	5 34	D
	☿±♃	10 5	
	☽P♃	10 36	G
	☽⊻♀	2*pm*24	g
	☽⚼♄	3 45	b
	☽∠♇	4 28	b
	♃△♇	4 48	
	☉☌☿	8 24	
	☽⊻♅	9 19	g
3	☉P♅	5*am*22	
M	☽P♄	6 56	B
	☉P♀	8*pm*35	
	☽⚹♃	9 56	G
3	☽⚹♇	10*p* 12	G
	☽∠♀	11 15	b
4	☽☌♆	0*am*55	D
Tu	☽∠♅	3 13	b
	♀P♅	8 49	
	☽□☉	3*pm*23	B
	♀∠♆	4 26	
	☿⊥♀	6 18	
	☿P♀	6 48	
	☽□☿	7 27	B
5	☿P♅	0*am*49	
W	♃▽♄	1 57	
	☽∠♃	3 59	b
	☿⊥♅	8 16	
	☽⚹♀	8 52	G
	☽⚹♅	9 39	G
	☿Q♄	11 22	
	☽⚼♂	1*pm*23	b
	♀☌♅	5 3	
6	☽⊻♃	10*a* 17	g
Th	☽☍♄	10 41	B
	☽□♇	11 7	B
	☽⊻♆	1*pm*45	g
	☉P☿	5 48	
	☽△♂	8 22	G
	☿⚼♃	11 51	
7	☽P♄	4*am* 3	B
F	☽△☉	9 42	G
	☽△☿	7*pm*38	G
	☽∠♆	8 7	b
	☉⊥♅	9 20	
	☽□♅	10 44	B
8	☽P♃	0*am* 2	G
S	☽□♀	4 20	B
	☉Q♄	4 39	
	☽P♆	5 33	D
	☿⊻♅	4*pm*19	
	☽⚼☉	6 22	b
	☽☌♃	10 17	G
	☽△♇	11 36	G
9	☽⚹♆	2*am* 2	G
𝔖	☽⚼☿	6 47	b
	☽□♂	9 13	B
	☿Q♆	2*pm*41	
	☽P♇	9 50	D
10	☿⚼♂	0*am*28	
M	☽⚼♄	4 45	b
	☽⚼♇	4 58	b
	☽P♂	9 26	B
	☽△♅	9 59	G
	☽P♀	11 40	G
	☉⚼♃	4*pm*21	
	☽△♀	9 7	G
11	☽P♅	1*am*54	B
Tu	☽⊻♃	7 53	g
	☽△♄	9 27	G
	☽□♆	11 47	B
	♀P♂	0*pm* 3	
	☽⚼♅	2 30	b
	☽P☉	5 36	G
	☽⚹♂	7 8	G
12	☽⚼♀	4*am* 1	b
W	☽P☿	4 34	G
	♀⊥♆	9 48	
	☽∠♃	11 37	b
	☽☍☉	3*pm*17	B
	☽P☿	8 12	G
	☽∠♂	10 56	b
13	☽P☉	6*am*34	G
Th	☽☍☿	8 59	B
	☽⚹♃	2*pm*42	G
	☽□♄	4 38	B
13	☽☍♇	4*pm*40	B
	☽△♆	6 41	G
14	☽P♅	0*am*30	B
F	☽⊻♂	2 4	g
	☿⊻♀	7 38	
	☉⊻♅	10 20	
	♄□♇	4*pm* 0	
	☽P♂	4 31	B
	☽⚼♆	9 18	b
	☽P♀	11 52	G
15	☽☍♅	0*am* 6	B
S	☽P♇	1 53	D
	☿△♃	4 28	
	☿±♂	0*pm* 9	
	♀□♃	1 41	
	☽□♃	7 26	B
	☽☍♀	7 59	B
	♀P♇	8 8	
	☽⚹♄	9 42	G
	☿☌♇	10 18	
	☉Q♆	10 19	
	☿□♄	10 40	
16	☽⚼☉	5*am*13	b
𝔖	☽☌♂	6 55	B
	☿⚹♆	1*pm*49	
	☽P♆	2 10	D
	♀⊻♇	4 26	
	♀△♄	5 14	
	☽P♃	7 52	G
	☽⚼♇	11 41	b
	☽∠♄	11 46	b
17	☽⚼☿	3*am* 5	b
M	☉⚼♂	6 21	
	☽△☉	9 4	G
	☽P♄	0*pm*23	B
	☉P☿	2 10	
	♀⊻♆	2 30	
	☽△♃	11 3	G
18	☽△♇	1*am*32	G
Tu	☽⊻♄	1 37	g
	☽☍♆	3 17	B
	☽⚼♅	6 14	b
	☽△☿	8 16	G
	☽⊻♂	10 39	g
19	☽⚼♃	0*am*37	b
W	☿▽♂	4 54	
	☽△♅	7 57	G
	☽⚼♀	8 22	b
	☽∠♂	0*pm*16	b
	☽□☉	4 11	B
	♂ Stat	11 6	
20	☽□♇	4*am*49	B
Th	☽☌♄	4 58	B
	☽△♀	0*pm*10	G
	☽⚹♂	1 46	G
	☽P♄	5 13	B
	☽□☿	6 1	B
21	♀☍♂	7*am*22	
F	☽⚼♆	8 0	b
	☽P♃	9 12	G
	☽□♅	11 9	B
	☽P♆	2*pm*53	D
	☽⚹☉	10 55	G
22	♀⊥♇	0*am*10	
S	☽☍♃	4 57	B
	☽⚹♇	7 52	G
	☽⊻♄	8 3	g
	☽△♆	9 29	G
	☽P♀	11 24	G
	☽□♂	4*pm*35	B
	☽□♀	7 38	B
23	☽∠☉	2*am*16	b
23	☽P♇	2*am*56	D
𝔖	☽⚹☿	3 21	G
	☽∠♇	9 25	b
	☽∠♄	9 37	b
	☽P♂	10 30	B
	☽⚹♅	2*pm*18	G
24	☽P♅	1*am*49	B
M	☽⊻☉	5 46	g
	☽P☿	6 8	G
	☽∠☿	8 8	b
	☽⊻♇	11 7	g
	☽⚹♄	11 19	G
	☽□♆	0*pm*41	B
	☽∠♅	4 5	b
	☽△♂	7 36	G
25	☽⚹♀	3*am*35	G
Tu	☽P☉	8 39	G
	☽⚼♃	9 48	b
	☉△♃	0*pm*48	
	☽⊻☿	1 15	g
	☽P☉	4 25	G
	☿P♅	5 10	
	☽⊻♅	6 12	g
	☽⚼♂	9 30	b
26	☿∠♆	2*am*12	
W	☉±♂	5 17	
	☽∠♀	8 12	b
	☽△♃	0*pm* 4	G
	☽☌☉	1 55	D
	☽☌♇	3 33	D
	☽□♄	3 45	B
	☽⚹♆	5 6	G
	☽P♅	11 53	B
27	☽P☿	4*am*26	G
Th	☿☌♅	11 53	
	☉☌♇	1*pm*16	
	☽⊻♀	1 33	g
	☽P♂	3 49	B
	☉□♄	4 5	
	☽∠♆	8 10	b
	☽P♇	11 40	D
28	☽☌♅	0*am* 1	B
F	☽☌☿	1 31	G
	☉⚹♆	10 34	
	♃ Stat	1*pm*23	
	☽□♃	6 36	B
	☽⊻♇	10 25	g
	☽△♄	10 37	G
	☽⊻♆	11 58	g
29	☽⊻☉	1*am* 5	g
S	☽☍♂	6 30	B
	☽P♀	11 32	G
	☽P♆	4*pm*33	D
	☽P♃	10 55	G
30	♀∠♇	1*am*11	
𝔖	☽∠♇	3 5	b
	☽☌♀	3 16	G
	☽⚼♄	3 17	b
	♀⚼♄	3 24	
	☽∠☉	8 13	b
	☽⊻♅	8 56	g
	☿P♂	4*pm*55	
	☽P♄	5 21	B
	☽⊻☿	5 56	g
	♀Q♃	8 22	

OCTOBER

1	☽⚹♃	4*am*21	G
M	♀P♆	7 19	
	☽⚹♇	8 34	G
	☽☌♆	10 8	D

OCT.—*contd.*

Day	Aspect	Time	
1	☉▽♂	2pm23	
	☽∠♅	2 37	b
	☽⚹☉	4 21	G
2 Tu	☽∠☿	3am44	b
	☿⊥♆	7 25	
	☽∠♃	10 20	b
	♀⊻♅	7pm23	
	☽⚹♅	8 56	G
	☽⊻♀	9 5	g
	☽⚼♂	9 54	b
3 W	☿P♇	3am 3	
	♀P♃	11 10	
	☽⚹☿	2pm11	G
	☽⊻♃	4 48	g
	☽☐♇	9 16	B
	☽☍♄	9 23	B
	☽⊻♆	10 48	g
4 Th	☽△♂	3am53	G
	☽∠♀	6 50	b
	☽P♄	9 43	B
	☽☐☉	10 32	B
	☿☐♃	0pm34	
5 F	☽P♀	0am 6	G
	☽P♃	5 2	G
	☽∠♆	5 19	b
	☽☐♅	10 9	B
	☽P♆	11 19	D
	☽⚹♀	4pm28	G
6 S	☿⊻♇	4am19	
	☿△♄	4 47	
	☽☌♃	5 35	G
	☽△♇	10 2	G
	☽☐☿	10 45	B
	☽⚹♆	11 29	G
	☽☐♂	3pm14	B
	☿⊻♆	5 32	
	☽P☿	7 0	G
7 𝔖	☽△☉	4am 3	G
	☽P♇	7 38	D
	♄☐♇	0pm 0	
	☽⚼♄	3 35	b
	☽⚼♇	3 35	b
	☽P♂	4 32	B
	☽△♅	9 46	G
	☿☍♂	9 58	
8 M	♀±♄	4am13	
	☽P♅	6 59	B
	♀⊥♅	8 46	
	☽☐♀	9 20	B
	☽⚼☉	11 28	b
	☽⊻♃	4pm 2	g
	☽P☉	6 18	G
	☽△♄	8 13	G
	☽☐♆	9 35	B
	☽⚹♂	11 56	G
9 Tu	☽⚼♅	2am19	b
	☽△☿	3 25	G
	♀P♄	5 27	
	☽∠♃	7pm56	b
10 W	☽∠♂	2am57	b
	☽△♀	9 37	G
	☽⚼☿	9 49	b
	☿⊥♇	9pm57	
	☽⚹♃	11 0	G
11 Th	☽☐♄	2am50	B
	☽☍♇	2 59	B
	☽△♆	4 10	G
	☽P☉	5 0	G
	☽⊻♂	5 11	g
	☽P♅	11 45	B

Day	Aspect	Time	
11	♀⚹♃	2pm35	
	☽P♂	11 40	B
12 F	☽⚼♀	2am14	b
	☽☍☉	3 9	B
	☽⚼♆	6 20	b
	☽P♇	8 13	D
	☽☍♅	10 53	B
13 S	♂▽♆	1am 7	
	☽☐♃	3 5	B
	☽⚹♄	6 39	G
	☽☌♂	7 50	B
	♀▽♄	0pm49	
	☽P☿	3 3	G
	♀⚹♇	4 9	
	☽P♆	11 6	D
	☽☍☿	11 8	B
	♀▽♂	11 35	
14 𝔖	☉∠♆	1am20	
	☽P♃	3 31	G
	♀☌♆	6 20	
	☽∠♄	7 57	b
	☽⚼♇	8 15	b
	☽P♄	8pm23	B
	♂▽♇	10 58	
15 M	☽△♃	5am45	G
	☽⊻♄	9 7	g
	☽⊻♂	9 12	g
	☽△♇	9 28	G
	☉P♅	10 29	
	☽☍♆	10 31	B
	☽☍♀	0pm52	B
	☽⚼☉	0 55	b
	♂⚹♄	1 54	
	☽⚼♅	3 8	b
	☉∠♀	7 15	
16 Tu	☽⚼♃	6am59	b
	☽∠♂	9 48	b
	☿P♆	3pm49	
	☽△☉	3 57	G
	☽△♅	4 25	G
	♀∠♅	7 41	
	☉☌♅	11 0	
17 W	♄ Stat	5am34	
	☽⚼☿	9 4	b
	☽⚹♂	10 30	G
	☽●♄	11 30	B
	☽☐♇	11 59	B
	☽P♄	8pm19	B
18 Th	♀±♂	3am48	
	☿P♃	4 12	
	☽△☿	0pm28	G
	☽P☿	0 50	G
	☽P♃	1 47	G
	☽⚼♆	2 31	b
	☽P♆	5 36	D
	☿⚼♄	6 58	
	☽☐♅	7 25	B
	☽☐☉	10 33	B
	☽⚼♀	11 16	b
19 F	☿∠♇	3am28	
	☽☍♃	11 34	B
	☽☐♂	0pm22	B
	☽⊻♄	2 34	g
	☽⚹♇	3 12	G
	☽△♆	4 15	G
20 S	☽△♀	3am16	G
	☿Q♃	3 20	
	☽P♇	9 30	D
	♂☐♃	4pm14	
	☽∠♄	4 28	b
	☽∠♇	5 11	b
	☽☐☿	7 49	B

Day	Aspect	Time	
20	☽P♂	7pm50	B
	☽P☉	8 0	G
	☉P♂	10 13	
	☽⚹♅	11 19	G
21 𝔖	☽P♅	4am29	B
	☽⚹☉	6 19	G
	☽△♂	3pm10	G
	☽⚹♄	6 37	G
	☽⊻♇	7 26	g
	☽☐♆	8 28	B
22 M	☽∠♅	1am42	b
	☽∠☉	10 45	b
	☽☐♀	0pm16	B
	☽⚼♂	4 58	b
	☽⚼♃	6 28	b
23 Tu	☽⚹☿	4am 0	G
	☽⊻♅	4 25	g
	☉⊥♆	9 35	
	☿⊻♅	0pm19	
	☽⊻☉	3 39	g
	☽△♃	9 29	G
	☽☐♄	11 59	B
24 W	☽☌♇	1am 0	D
	☽⚹♆	2 3	G
	☽∠☿	8 32	b
	♀⚼♂	9 39	
	☽P♅	10 30	B
	☽P♂	6pm 7	B
	♀Q♇	8 5	
	☽⚹♀	11 11	G
25 Th	☽P☉	2am42	G
	☉☍♂	3 29	
	☽∠♆	5 33	b
	☽P♇	6 2	D
	☽☌♅	11 14	B
	☽⊻☿	1pm26	g
	♀∠♃	10 14	
26 F	☽☍♂	0am52	B
	☽☌☉	3 17	D
	☽☐♃	5 6	B
	☽∠♀	5 41	b
	☽△♄	7 16	G
	☽⊻♇	8 33	g
	☽⊻♆	9 38	g
	☉P♇	10pm4	
27 S	☽P♆	2am47	D
	☉☐♃	4 18	
	☽P♃	5 22	G
	☽⚼♄	11 50	b
	☽⊻♀	1pm 0	g
	☽∠♇	1 17	b
	☽⊻♅	8 30	g
28 𝔖	☽●☿	0am35	G
	☽P☿	2 6	G
	☽P♄	3 6	B
	☉△♄	5 10	
	☽⚹♃	3pm20	G
	☽⊻☉	6 11	g
	☽⚹♇	6 42	G
	☽☌♆	7 50	D
29 M	☉⊻♇	0am35	
	☽∠♅	2 8	b
	☽⚼♂	1pm57	b
	☉⊻♆	2 47	
	♂±♆	7 26	
	☽∠♃	9 27	b
30 Tu	☽∠☉	2am51	b
	☽☌♀	6 11	G
	☽⚹♅	8 22	G
	☿ Stat	10 27	
	☽⊻☿	1pm 4	g
	☽△♂	7 25	G

Day	Aspect	Time	
31 W	☽⊻♃	4am 3	g
	☽☍♄	5 15	B
	☽☐♇	7 12	B
	♀⚹♅	7 36	
	☽⊻♆	8 22	g
	☽⚹☉	0pm 4	G
	☽P♄	2 42	B
	☽∠☿	7 17	b
	☽P☿	7 40	G

NOVEMBER

Day	Aspect	Time	
1 Th	☽P♃	2pm40	G
	☽∠♆	3 0	b
	☽P♆	4 0	D
	☽☐♅	9 42	B
	☿⊻♀	11 48	
2 F	☽⚹☿	1am 5	G
	☽⊻♀	1 15	g
	☽☐♂	6 55	B
	☽☌♃	5pm34	G
	☽△♇	8 17	G
	☽⚹♆	9 27	G
3 S	☽P☉	2am19	G
	☽☐☉	6 29	B
	☽∠♀	10 24	b
	☽P♇	4pm34	D
	☽⚼♄	11 53	b
4 𝔖	☽⚼♇	2am13	b
	♀⊥♃	3 29	
	♀△♂	4 21	
	☉⊥♇	5 27	
	☽P♂	7 33	B
	☽△♅	9 56	G
	☽☐☿	10 12	B
	♃▽♄	10 38	
	☽P♅	11 43	B
	☿⊻♅	2pm 5	
	☽⚹♂	5 9	G
	☽⚹♀	6 38	G
5 M	☽△♄	4am54	G
	☽⊻♃	5 7	g
	☽☐♆	8 27	B
	☿⊥♀	11 36	
	☽⚼♅	2pm51	b
	☽∠♂	9 8	b
	☽△☉	9 47	G
6 Tu	♃P♆	4am44	
	☿P♆	7 43	
	☿P♃	7 55	
	☽∠♃	9 32	b
	☿Q♃	2pm25	
	☽△☿	3 1	G
7 W	☽⊻♂	0am12	g
	☽⚼☉	3 34	b
	☽☐♀	7 25	B
	☽☐♄	0pm 4	B
	☽⚹♃	0 54	G
	☽☍♇	2 36	B
	☽△♆	3 38	G
	☽⚼☿	3 51	b
8 Th	☽P♅	0am13	B
	☽P♂	3 1	B
	☿∠♇	5 27	
	☽P♇	4pm38	D
	☽⚼♆	5 48	b
	☽☍♅	11 44	B
9 F	☽☌♂	3am42	B
	☿⚼♄	9 48	
	☿∠♀	1pm24	
	☽△♀	3 23	G

Day	Aspect	Time	
9	☽⚹♄	3pm33	G
	☽P☉	3 43	G
	☽☐♃	4 56	B
	♀☍♄	5 43	
	☽P☿	7 34	G
10 S	☽P♃	8am53	G
	☽P♆	9 59	D
	☉☌☿	10 32	
	☉P☿	10 43	
	☽☍☿	1pm52	B
	☽☍☉	2 27	B
	♀⊻♃	3 56	
	☽∠♄	4 20	b
	☽⚼♀	6 7	b
	☽⚼♇	7 3	b
11 𝔖	☽⊻♂	4am45	g
	☽P♄	6 17	B
	♀☐♇	7 58	
	☽⊻♄	4pm46	g
	☉⚼♄	4 50	
	☽△♃	6 41	G
	☽△♇	7 35	G
	☽☍♆	8 35	B
	♀⊻♆	10 49	
12 M	☽⚼♅	2am20	b
	☽∠♂	4 51	b
	♀Q♅	0pm 5	
	☽⚼♃	7 17	b
13 Tu	☽△♅	2am48	G
	☽⚹♂	4 57	G
	☽⚼☿	9 27	b
	☉∠♇	11 23	
	☽●♄	5pm26	B
	☽☐♇	8 31	B
	☽⚼☉	9 11	b
14 W	☽☍♀	0am52	B
	☽P♄	0 58	B
	☽△☿	8 23	G
	☽P♆	9pm13	D
	☽⚼♆	10 21	b
	☽P♃	11 33	G
	☽△☉	11 45	G
15 Th	☽☐♅	4am21	B
	☽☐♂	5 48	B
	☽P☉	6 40	G
	☿⊥♇	5pm 2	
	☽⊻♄	7 1	g
	☽☍♃	10 17	B
	☽⚹♇	10 28	G
	☽△♆	11 33	G
16 F	☽☐☿	7am55	B
	☽P☿	9 20	G
	☉Q♃	0pm 0	
	☽P♇	3 3	D
	☿⚹♀	7 28	
	☽∠♄	8 28	b
	♃△♇	8 34	
17 S	☽∠♇	0am 8	b
	☽P♂	4 44	B
	☽P♅	6 15	B
	☽☐☉	6 36	B
	☽⚹♅	7 36	G
	☽△♂	8 25	G
	☽⚼♀	10 26	b
	☉⊻♅	9pm 6	
	☽⚹♄	10 27	G
18 𝔖	☽⊻♇	2am22	g
	☽☐♆	3 32	B
	♀⊥♆	5 2	
	☉▽♂	5 8	
	☽∠♅	10 2	b
	☽⚹☿	10 30	G

NOV.—*contd.*

Day	Aspect	Time	
18	☽⚼♂	10a 32	b
	☽△♀	2pm53	G
19 M	☉P♃	2am43	
	☽⚼♃	5 40	b
	☽⊻♅	1pm 3	g
	☽∠☿	1 12	b
	☿Stat	2 23	
	☽⚹☉	4 10	G
20 Tu	☽□♄	4am 5	B
	☉±♄	4 43	
	♂☍♅	8 27	
	☽☌♇	8 31	D
	☽△♃	9 18	G
	☽⚹♆	9 46	G
	☽⊻☿	4pm53	g
	☽P♅	7 0	B
	☽P♂	8 32	B
	☽∠☉	10 2	b
21 W	☽□♀	1am50	B
	☉P♆	10 30	
	☽P♇	11 2	D
	☽P☿	0pm50	G
	☽∠♆	1 45	b
	☽☍♂	8 27	B
	☽☌♅	8 48	B
22 Th	☽⊻☉	4am37	g
	☽△♄	11 56	G
	♃⚹♆	3pm 0	
	☽⊻♇	4 57	g
	☽⊻♆	6 19	g
	☽□♃	6 20	B
23 F	☽☌☿	3am22	G
	☽P♃	5 28	G
	☽P♆	11 8	D
	☽P☉	3pm 2	G
	☽⚹♀	3 32	G
	☽⚼♄	4 42	b
	☉±♂	6 42	
	☽∠♇	10 0	b
24 S	☿⊥♇	2am27	
	☉⊥♅	3 57	
	☽⊻♅	6 48	g
	☽P♄	11 4	B
	☽☌☉	7pm56	D
	☽∠♀	11 22	b
25 𝔖	☽⚹♇	3am34	G
	☽☌♆	5 3	D
	☽⚹♃	5 41	G
	☽⚼♂	11 37	b
	☽∠♅	0pm36	b
	☽⊻☿	6 4	g
	☉⊽♄	6 54	
	♂Stat	11 50	
26 M	☽⊻♀	7am47	g
	☽∠♃	0pm 7	b
	☽△♂	5 44	G
	☽⚹♅	6 52	G
27 Tu	☽∠☿	2am51	b
	☽☍♄	9 50	B
	☽⊻☉	1pm44	g
	☽□♇	4 3	B
	☽⊻♆	5 38	g

Day	Aspect	Time	
27	☽⊻♃	6pm56	g
	☽P♄	7 46	B
28 W	♀∠♆	6am51	
	☽P☉	7 48	G
	☽⚹☿	0pm20	G
	☉⚹♇	5 19	
	☽P♆	8 33	D
	☽∠☉	11 10	b
29 Th	☽∠♆	0am17	b
	☽☌♀	1 38	G
	☽P♃	4 48	G
	☽□♂	6 53	B
	☽□♅	8 9	B
	☉☌♆	0pm44	
30 F	☿⚼♄	1am49	
	☽△♇	5 14	G
	☽⚹♆	6 54	G
	☽P☿	7 19	G
	☽⚹☉	8 32	G
	☽☌♃	8 53	G
	☉⚹♃	1pm31	

DECEMBER

Day	Aspect	Time	
1 S	☽P♇	0am 0	D
	☽⚼♄	4 41	b
	☽□☿	7 55	B
	☽⚼♇	11 30	b
	☽P♂	0pm53	B
	☽P♅	3 56	B
	☽⊻♀	6 54	g
	☽⚹♂	7 41	G
	☽△♅	8 53	G
2 𝔖	♀□♂	7am24	
	☽△♄	10 15	G
	☿∠♇	5pm47	
	☽□♆	6 47	B
	☽⊻♃	9 21	g
	☉⚼♂	10 37	
3 M	☽∠♂	1am16	b
	♀□♅	1 21	
	☽□☉	1 28	B
	☽⚼♅	2 20	b
	☽∠♀	2 24	b
	☉∠♅	0pm32	
	♃±♄	10 43	
4 Tu	☽△☿	1am 8	G
	☽∠♃	2 21	b
	☽⊻♂	5 56	g
	☽⚹♀	8 44	G
	☽□♄	6pm51	B
5 W	☽☍♇	1am41	B
	☉P♄	2 2	
	☽△♆	3 18	G
	☉∠♀	5 22	
	☽⚹♃	6 18	G
	☽⚼☿	7 55	b
	☽P♅	0pm23	B
	☽△☉	1 57	G
	☽P♂	4 14	B
6 Th	☿⊽♂	1am42	
	☽P♇	2 13	D
	☽⚼♆	6 1	b
	☿⊻♅	8 13	

Day	Aspect	Time	
6	☽☌♂	0pm18	B
	☿±♄	0 42	
	☽☍♅	0 52	B
	☽□♀	5 36	B
	☽⚼☉	6 16	b
	☽⚹♄	11 32	G
7 F	☿Q♃	1am33	
	☽P☿	10 35	G
	☽□♃	11 8	B
	☽P♃	0pm12	G
	☉P♀	0 25	
	☽P♆	9 55	D
	☿P♃	11 34	
8 S	☽∠♄	0am32	b
	☽⚼♇	7 10	b
	☽⊻♂	3pm 0	g
	♀P♄	3 48	
	☽P♀	5 32	G
	☽P♄	5 43	B
	☽☍☿	8 54	B
	☽△♀	10 11	G
	☽P☉	10 48	G
9 𝔖	☽⊻♄	0am52	g
	☽△♇	7 32	G
	☽☍♆	9 6	B
	☽△♃	0pm47	G
	☽∠♂	3 26	b
	☽⚼♅	3 27	b
	♂☍♅	5 22	
	☿⚹♀	9 31	
	☽⚼♀	11 27	b
10 M	☽☍☉	1am34	B
	☿⊽♄	11 19	
	☽⚼♃	0pm58	b
	☿⊥♅	3 16	
	☽△♅	3 24	G
	☽⚹♂	3 35	G
	☿±♂	5 26	
	☉Q♇	6 49	
11 Tu	☽●♄	0am27	B
	♀⊽♄	0 44	
	☽P☉	1 55	G
	☽□♇	7 20	B
	☽P♄	9 22	B
	☿P♆	0pm56	
	☽P♀	4 52	G
12 W	☽P☿	2am53	G
	☽⚼☿	4 25	b
	☽P♆	4 29	D
	☽⚼♆	8 55	b
	☽□♅	3pm19	B
	☽P♃	3 33	G
	☽□♂	3 59	B
13 Th	☽⊻♄	0am 9	g
	☽☍♀	2 41	B
	☽⚼☉	6 41	b
	☽△☿	7 19	G
	☽⚹♇	7 30	G
	☿⚹♇	9 12	
	☽△♆	9 14	G
	☽☍♃	2pm 1	B
	☽P♇	10 11	D
	☿P♀	10 24	
14	☽∠♄	0am35	b

Day	Aspect	Time	
14 F	☿☌♆	2am36	
	☽P♂	4 0	B
	☽∠♇	8 17	b
	☽△☉	9 18	G
	☽P♅	10 34	B
	☽⚹♅	4pm49	G
	☽△♂	6 6	G
15 S	☽⚹♄	1am39	G
	☽⊻♇	9 44	g
	☽□♆	11 38	B
	☽□☿	3pm34	B
	☽∠♅	6 35	b
	☽⚼♂	8 15	b
16 𝔖	☿⚹♃	9am25	
	☽⚼♀	10 16	b
	☽□☉	5pm14	B
	☿∠♅	7 47	
	☽⚼♃	8 9	b
	☽⊻♅	9 10	g
17 M	♀P♆	5am 4	
	☽□♄	6 6	B
	☽△♀	2pm30	G
	☽☌♇	3 5	D
	☽⚹♆	5 12	G
	☿⚼♂	5 24	
	☽△♃	11 52	G
18 Tu	☿P♄	2am 1	
	☽P♅	2 30	B
	☽⚹☿	4 20	G
	♀△♇	4 40	
	☽P♂	0pm 2	B
	☽P♇	4 15	D
	☉∠♃	4 15	
	☽∠♆	9 13	b
	☉⚹♅	10 53	
19 W	☽⚹☉	5am21	G
	☽☌♅	5 50	B
	☽☍♂	8 3	B
	☽∠☿	0pm29	b
	☽△♄	1 44	G
	♀±♄	8 15	
	☽⊻♇	11 38	g
20 Th	☽P♃	1am16	G
	☽□♀	1 28	B
	☽⊻♆	2 0	g
	☽□♃	9 50	B
	☽P♀	10 39	G
	☽∠☉	0pm50	b
	♀⚹♆	4 15	
	☽P♆	6 3	D
	☽⚼♄	6 38	b
	☽⊻☿	9 41	g
21 F	☉△♂	1am50	
	☽∠♇	4 58	b
	☿Q♇	8 38	
	☽⊻♅	3pm22	g
	☽P♄	5 41	B
	☽⊻☉	9 5	g
22 S	☉P☿	2am57	
	☽⚹♇	10 47	G
	☽P☉	0pm 2	G
	☽☌♆	1 20	D
	☽⚹♀	2 56	G
	☽P☿	3 0	G

Day	Aspect	Time	
22	☽∠♅	9pm25	b
	☽⚹♃	10 18	G
23 𝔖	☽⚼♂	2am38	b
	☉☍♄	5 51	
	☽●☿	6pm22	G
	☽P☿	7 12	G
	☽∠♀	10 12	b
24 M	☽⚹♅	3am47	G
	☽∠♃	5 8	b
	☽P☉	7 12	G
	☽△♂	9 45	G
	☽☍♄	0pm 3	B
	☽☌●	3 8	D
	☽□♇	11 26	B
25 Tu	☽P♄	1am16	B
	☽⊻♆	2 9	g
	♂P♇	4 52	
	☽⊻♀	5 36	g
	☿∠♀	7 27	
	☽⊻♃	0pm10	g
26 W	☽P♆	1am30	D
	☽∠♆	8 47	b
	♀P♃	1pm36	
	☽⊻☿	4 33	g
	☽□♅	4 58	B
	☿⚹♅	7 47	
	☽P♃	10 10	G
	☽P♀	10 44	G
27 Th	☽□♂	0am26	B
	♂⚹♄	6 50	
	☽⊻☉	9 55	g
	☽△♇	0pm29	G
	☽⚹♆	3 20	G
	☿∠♃	3 49	
	☽☌♀	8 8	G
28 F	☽☌♃	2am13	G
	☽∠☿	3 34	b
	☽P♂	3 45	B
	☽P♇	5 55	D
	☽⚼♄	6 48	b
	☉□♇	4pm 0	
	☽⚼♇	6 45	b
	☽∠☉	7 1	b
	☽P♅	8 16	B
29 S	☿☍♄	3am 9	
	☽△♅	5 41	G
	☽△♄	0pm39	G
	☽⚹☿	2 8	G
	☽⚹♂	2 33	G
	☿△♂	6 10	
	☉⊥♃	6 53	
30 𝔖	☉⊻♆	2am58	
	☽□♆	3 32	B
	☽⚹☉	3 35	G
	☽⊻♀	9 2	g
	☽⚼♅	11 25	b
	☽⊻♃	2pm59	g
	☽∠♂	8 53	b
31 M	☉Q♅	3am16	
	♂±♆	8 38	
	☽∠♀	2pm23	b
	☽∠♃	8 23	b
	☽□♄	10 36	B
	☿⊥♀	11 40	

EPHEMERIS TIME

Since this Ephemeris is now calculated in E.T. it will be necessary to convert G.M.T. to E.T. before finding the positions from the tables.

The approximate value of △T in 1973 is +42 seconds. Therefore to convert G.M.T. to E.T. add 42 seconds.

Note that one hour must be subtracted from B.S.T. to give G.M.T.

DISTANCES APART OF ALL ☌'s AND ☍'s IN 1973

NOTE. The Distances Apart are in Declination. ♇=Pluto.

JANUARY

Day	Aspect	Time	Dist.
1	☽☌♂	0am44	3 59
1	☽☌♆	11 34	4 57
2	☽☍♄	5 43	4 21
2	☽☌♀	0pm 8	3 21
3	☽☌☿	7am37	1 25
4	☽☌●	3pm43	0 14
5	☽**☌**♃	0am47	0 22
9	♂☌♆	4 47	1 23
10	☉☌♃	9 18	0 11
10	☽☍♇	10pm51	19 55
12	☽☍♅	7am19	5 28
15	☽☍♆	8 38	4 56
15	☽☍♂	3pm35	3 11
15	☽☌♄	9 15	4 22
17	☽☍♀	10am 4	1 6
18	☽☍☿	9 35	2 16
18	☽☍♃	10 19	0 40
18	☿☌♃	5pm22	1 38
18	☽☍☉	9 29	0 47
20	♂☍♄	9am36	1 29
23	☽☌♇	4pm24	20 0
25	☽☌♅	4am15	5 27
28	☽☌♆	8pm25	4 54
28	☉☌☿	8 31	2 33
29	☽☍♄	10am19	4 20
30	☽☌♂	0 24	2 14
31	♀☌♃	6pm20	0 11

FEBRUARY

Day	Aspect	Time	Dist.
1	☽**☌**♃	8pm41	0 59
1	☽☌♀	11 7	1 19
3	☽☌☉	9am24	2 20
3	☽☌☿	6pm11	3 57
7	☽☍♇	3am48	20 3
8	☽☍♅	0pm47	5 24
11	☽☍♆	4 26	4 49
12	☽☌♄	3am13	4 14
13	☽☍♂	8 1	1 8
15	☽☍♃	6 14	1 18
16	☽☍♀	9 55	3 17
17	☽☍☉	10 7	3 17
18	☽☍☿	3pm48	4 16
20	☽☌♇	1am 8	20 5
21	☽☌♅	0pm39	5 20
25	☽☌♆	5am15	4 44
25	☽☍♄	6pm11	4 4
28	☽**☌**♂	1am14	0 5

MARCH

Day	Aspect	Time	Dist.
1	☽☌♃	4pm54	1 38
4	☽☌♀	6am23	4 50
5	☽☌☉	0 8	4 2
6	☽☌☿	0 53	1 29
6	☽☍♇	9 45	20 5
7	☽☍♅	5pm56	5 15
10	☽☍♆	10 7	4 37
11	☽☌♄	9am40	3 52
13	☉☌☿	8pm17	3 3
14	☽☍♂	0am23	1 16
14	☽☍♃	10pm59	1 57
16	☿☌♀	10 58	4 19
18	☽☍☿	6am46	1 36
18	☽☍♀	0pm23	5 37
18	☽☍☉	11 34	4 26
19	☽☌♇	8am43	20 5
20	☽☌♅	7pm48	5 11
23	☉☍♇	8 37	15 21
24	☽☌♆	1 20	4 30

MARCH—*continued*

Day	Aspect	Time	Dist.
25	☽☍♄	4am55	3 38
27	♀☍♇	6 10	14 14
29	☽☌♂	2 16	2 32
29	☽☌♃	11 52	2 18

APRIL

Day	Aspect	Time	Dist.
1	☽☌☿	0pm57	4 41
2	☽☍♇	5 34	20 5
3	☽☌♀	8am47	5 49
3	☽☌☉	11 46	4 36
4	☽☍♅	0 40	5 11
6	♂☌♃	10pm13	0 45
7	☽☍♆	4am 6	4 26
7	☽☌♄	6pm44	3 23
9	☉☌♀	7 14	1 6
10	♀☍♅	7 27	0 29
11	☉☍♅	1am32	0 36
11	☽☍♃	0pm26	2 36
11	☽☍♂	5 18	3 37
15	☽☍☿	6am 9	6 45
15	☽☌♇	2pm28	20 5
17	☽☌♅	1am 6	5 11
17	☽☍☉	1pm51	4 29
17	☽☍♀	6 11	5 22
18	☿☍♇	6 4	13 13
20	☽☌♆	8 5	4 22
21	☽☍♄	5 20	3 8
26	☽☌♃	3am33	2 54
27	☽☌♂	2 26	4 42
30	☽☍♇	2 34	20 6
30	☿☍♅	2pm20	1 40

MAY

Day	Aspect	Time	Dist.
1	☽☍♅	8am55	5 13
1	☽☌☿	11 27	6 48
2	☽☌☉	8pm56	4 4
3	☽☌♀	7am26	4 13
4	☽☍♆	11 57	4 20
5	☽☌♄	7 42	2 55
8	☽☍♃	11pm14	3 6
10	☽☍♂	11am 8	5 31
12	☽☌♇	7pm 9	20 5
14	☽☌♅	5am11	5 16
16	☽☍☿	7pm42	3 55
17	☽☍☉	4am59	3 22
17	♀☍♆	0pm29	1 44
18	☽☌♆	1am27	4 20
18	☽☍♀	2 29	2 31
19	☽☍♄	6 27	2 41
20	☉☌☿	8 23	0 19
23	☿☍♆	1pm 4	2 29
23	☽☌♃	2 15	3 18
26	☽☌♂	0am33	6 20
27	☽☍♇	11 18	20 4
27	☉☍♆	0pm34	1 39
28	☽☍♅	5 35	5 19
30	♀☌♄	7am18	1 44
31	☿☌♄	2 33	2 56
31	☽☍♆	9pm19	4 22

JUNE

Day	Aspect	Time	Dist.
1	☽☌☉	4am35	2 23
1	☿☌♀	6 32	1 13
1	☽☌♄	11pm16	2 30
2	☽**☌**♀	4am19	0 24
2	☽**☌**☿	5 30	0 55
5	☽☍♃	8 2	3 24

JUNE—*continued*

Day	Aspect	Time	Dist.
8	☽☍♂	5am38	6 52
9	☽☌♇	0 29	20 2
10	☽☌♅	9 33	5 21
14	☽☌♆	6 3	4 24
15	☉☌♄	9 2	1 6
15	☽☍♄	7pm46	2 17
15	☽☍☉	8 35	1 12
17	☽☍♀	0 44	1 50
18	☽☍☿	2am44	2 33
19	☽☌♃	7pm16	3 26
23	♂☍♇	11am34	12 37
23	☽☍♇	6pm54	19 56
23	☽☌♂	7 16	7 19
25	☽☍♅	1am33	5 22
28	☽☍♆	6 46	4 26
29	☽☌♄	3pm46	2 9
30	☽☌●	11am39	0 5

JULY

Day	Aspect	Time	Dist.
2	☽☌♀	1am15	3 38
2	☽**☌**☿	2 0	0 46
2	☿☌♀	1pm46	2 57
2	☽☍♃	3 0	3 25
6	☽☌♇	7am47	19 51
6	☽☍♂	11pm24	7 35
7	☽☌♅	3 53	5 22
8	♀☍♃	0 7	0 53
11	☽☌♆	10am56	4 26
13	☽☍♄	9 6	1 59
15	☽☍☉	11 56	1 22
16	☽☍☿	2 32	2 32
16	☽☌♃	8pm 0	3 20
17	☽☍♀	8 6	4 58
20	☉☌☿	6am 6	4 51
21	☽☍♇	1 34	19 43
22	♂☍♅	3 26	2 24
22	☽☍♅	8 36	5 19
22	☽☌♂	8 49	7 43
25	☽☍♆	2pm57	4 24
27	☽☌♄	7am 9	1 49
28	☽☌☿	9pm19	2 42
29	☽☌☉	6 59	2 28
29	☽☍♃	8 17	3 14
30	☉☍♃	0 49	0 43
31	☽☌♀	11 35	5 33

AUGUST

Day	Aspect	Time	Dist.
2	☽☌♇	5pm29	19 36
4	☽☌♅	0am53	5 15
4	☽☍♂	1pm31	7 44
7	☽☌♆	5 5	4 21
9	☽☍♄	10 14	1 38
12	☽☍☿	11am16	1 36
12	☽☌♃	7pm46	3 8
14	☽☍☉	2am17	3 24
15	☿☍♃	6 52	0 35
16	☽☍♀	10pm39	5 28
17	☽☍♇	8am23	19 28
18	☽☍♅	3pm39	5 10
19	☽☌♂	2 14	7 36
21	♀☌♇	0 12	13 2
21	☽☍♆	9 26	4 14
23	☽☌♄	7 47	1 26
26	☽☍♃	0am30	3 5
27	☽☌☿	4pm23	5 23
28	☽☌☉	3am26	4 3
30	☽☌♇	4 35	19 23
31	☽☌♀	0 15	4 49
31	☽☌♅	0pm 3	5 4

SEPTEMBER

Day	Aspect	Time	Dist.
1	☽☍♂	6pm30	7 26
2	☉☌☿	8 24	0 48
4	☽☌♆	0am55	4 7
5	♀☌♅	5pm 3	0 40
6	☽☍♄	10am41	1 15
8	☽☌♃	10pm17	3 4
12	☽☍☉	3 17	4 28
13	☽☍☿	8am59	5 28
13	☽☍♇	4pm40	19 18
15	☽☍♅	0am 6	5 0
15	☽☍♀	7pm59	3 26
15	☿☌♇	10 18	14 4
16	☽☌♂	6am55	7 8
18	☽☍♆	3 17	3 58
20	☽**☌**♄	4 58	1 3
21	♀☍♂	7 22	4 11
22	☽☍♃	4 57	3 7
26	☽☌☉	1pm55	4 36
26	☽☌♇	3 33	19 17
27	☿☌♅	11am53	1 11
27	☉☌♇	1pm16	14 42
28	☽☌♅	0am 1	4 55
28	☽☌☿	1 31	3 39
29	☽☍♂	6 30	6 48
30	☽☌♀	3 16	1 43

OCTOBER

Day	Aspect	Time	Dist.
1	☽☌♆	10am 8	3 49
3	☽☍♄	9pm23	0 53
6	☽☌♃	5am35	3 14
7	☿☍♂	9pm58	4 28
11	☽☍♇	2am59	19 19
12	☽☍☉	3 9	4 26
12	☽☍♅	10 53	4 52
13	☽☌♂	7 50	6 19
13	☽☍☿	11pm 8	1 5
14	♀☌♆	6am20	4 0
15	☽☍♆	10 31	3 41
15	☽☍♀	0pm52	0 29
16	☉☌♅	11 0	0 32
17	☽**☌**♄	11am30	0 45
19	☽☍♃	11 34	3 23
24	☽☌♇	1 0	19 24
25	☉☍♂	3 29	1 44
25	☽☌♅	11 14	4 51
26	☽☍♂	0 52	5 45
26	☽☌☉	3 17	4 2
28	☽**☌**☿	0 35	0 8
28	☽☌♆	7pm50	3 34
30	☽☌♀	6am11	2 35
31	☽☍♄	5 15	0 39

NOVEMBER

Day	Aspect	Time	Dist.
2	☽☌♃	5pm34	3 35
7	☽☍♇	2 36	19 32
8	☽☍♅	11 44	4 51
9	☽☌♂	3am42	5 4
9	♀☍♄	5pm43	4 29
10	☉☌☿	10am32	0 16
10	☽☍☿	1pm52	3 20
10	☽☍☉	2 27	3 16
11	☽☍♆	8 35	3 30
13	☽**☌**♄	5 26	0 38
14	☽☍♀	0am52	4 6
15	☽☍♃	10pm17	3 45
20	♂☍♅	8am27	0 18
20	☽☌♇	8 31	19 40
21	☽☍♂	8pm27	4 30

DISTANCES APART OF ALL ☌'s AND ☍'s IN 1973.

NOTE. The Distances Apart are in Declination. ♇=Pluto.

NOV.—*continued*				DECEMBER				DEC.—*continued*				DEC.—*continued*			
21	☽ ☌ ♅	*8pm*48	4 52	5	☽ ☍ ♇	*1am*41	19 49	13	☽ ☍ ♀	*2am*41	4 50	23	☽ ● ☿	*6pm*22	0 0
23	☽ ☌ ☿	*3am*22	6 0	6	☽ ☌ ♂	*0pm*18	3 56	13	☽ ☍ ♃	*2pm* 1	4 8	24	☽ ☍ ♄	0 3	0 49
24	☽ ☌ ☉	*7pm*56	2 17	6	☽ ☍ ♅	0 52	4 53	14	☿ ☌ ♆	*2am*36	0 58	24	☽ ☌ ●	3 8	0 23
25	☽ ☌ ♆	*5am* 3	3 26	8	☽ ☍ ☿	8 54	3 40	17	☽ ☌ ♇	*3pm* 5	19 57	27	☽ ☌ ♀	8 8	3 2
27	☽ ☍ ♄	9 50	0 39	9	☽ ☍ ♆	*9am* 6	3 24	19	☽ ☌ ♅	*5am*50	4 54	28	☽ ☌ ♃	*2am*13	4 18
29	☽ ☌ ♀	1 38	5 8	9	♂ ☍ ♅	*5pm*22	1 5	19	☽ ☍ ♂	8 3	3 29	29	☿ ☍ ♄	3 9	2 9
29	☉ ☌ ♆	*0pm*44	1 31	10	☽ ☍ ☉	*1am*34	0 59	22	☽ ☌ ♆	*1pm*20	3 22				
30	☽ ☌ ♃	*8am*53	3 58	11	☽ ● ♄	0 27	0 44	23	☉ ☍ ♄	*5am*51	1 3				

TIME WHEN THE SUN AND MOON ENTER THE ZODIACAL SIGNS IN 1973.

JANUARY			FEBRUARY			MARCH			APRIL			MAY			JUNE		
3	☽ ♑	*11am*31	2	☽ ♒	*5am*55	1	☽ ♒	*2pm*22	2	☽ ♈	*0pm*48	2	☽ ♉	*1am* 2	2	☽ ♋	*11am*21
5	☽ ♒	*10pm*47	4	☽ ♓	*2pm*22	3	☽ ♓	10 31	4	☽ ♉	2 58	4	☽ ♊	1 16	4	☽ ♌	11 49
8	☽ ♓	*8am* 3	6	☽ ♈	8 29	6	☽ ♈	*3am*37	6	☽ ♊	4 12	6	☽ ♋	1 36	6	☽ ♍	*2pm*53
10	☽ ♈	*2pm*57	9	☽ ♉	*0am*54	8	☽ ♉	6 51	8	☽ ♋	6 5	8	☽ ♌	3 38	8	☽ ♎	9 17
12	☽ ♉	7 24	11	☽ ♊	4 10	10	☽ ♊	9 32	10	☽ ♌	9 32	10	☽ ♍	8 14	11	☽ ♏	*6am*53
14	☽ ♊	9 41	13	☽ ♋	6 45	12	☽ ♋	*0pm*30	13	☽ ♍	*2am*47	12	☽ ♎	*3pm*32	13	☽ ♐	*6pm*44
16	☽ ♋	10 39	15	☽ ♌	9 13	14	☽ ♌	4 8	15	☽ ♎	9 51	15	☽ ♏	*1am*10	16	☽ ♑	*7am*37
18	☽ ♌	11 41	17	☽ ♍	*0pm*32	16	☽ ♍	8 43	17	☽ ♏	*6pm*52	17	☽ ♐	*0pm*42	18	☽ ♒	*8pm*19
20	☉ ♒	*4am*48	18	☉ ♓	7 2	19	☽ ♎	*2am*49	20	☉ ♉	*5am*31	20	☽ ♑	*1am*30	21	☽ ♓	*7am*28
21	☽ ♍	2 25	19	☽ ♎	6 0	20	☉ ♈	*6pm*13	20	☽ ♐	6 2	21	☉ ♊	4 55	21	☉ ♋	*1pm* 1
23	☽ ♎	8 18	22	☽ ♏	*2am*36	21	☽ ♏	*11am*16	22	☽ ♑	*6pm*50	22	☽ ♒	*2pm*17	23	☽ ♈	3 47
25	☽ ♏	*5pm*53	24	☽ ♐	*2pm*15	23	☽ ♐	*10pm*27	25	☽ ♒	*7am*20	25	☽ ♓	*1am* 5	25	☽ ♉	8 37
28	☽ ♐	*6am*11	27	☽ ♑	*3am* 4	26	☽ ♑	*9am*38	27	☽ ♓	*5pm* 9	27	☽ ♈	8 14	27	☽ ♊	10 18
30	☽ ♑	*6pm*54				28	☽ ♒	*11pm*12	29	☽ ♈	10 53	29	☽ ♉	11 27	29	☽ ♋	10 8
						31	☽ ♓	*7am*54				31	☽ ♊	11 53			

JULY			AUGUST			SEPTEMBER			OCTOBER			NOVEMBER			DECEMBER		
1	☽ ♌	*9pm*57	2	☽ ♎	*1pm*13	1	☽ ♏	*5am*19	3	☽ ♑	*0pm* 3	2	☽ ♒	*8am*59	2	☽ ♓	*4am*31
3	☽ ♍	11 32	4	☽ ♏	8 37	3	☽ ♐	*3pm*25	6	☽ ♒	*0am*49	4	☽ ♓	*8pm*26	4	☽ ♈	*1pm*49
6	☽ ♎	*4am*25	7	☽ ♐	*7am*38	6	☽ ♑	*4am* 1	8	☽ ♓	11 24	7	☽ ♈	*4am*18	6	☽ ♉	7 8
8	☽ ♏	*1pm* 6	9	☽ ♑	*8pm*30	8	☽ ♒	*4pm*30	10	☽ ♈	*6pm*28	9	☽ ♉	8 25	8	☽ ♊	8 58
11	☽ ♐	*0am*48	12	☽ ♒	*8am*52	11	☽ ♓	*2am*40	12	☽ ♉	10 37	11	☽ ♊	10 0	10	☽ ♋	8 52
13	☽ ♑	*1pm*46	14	☽ ♓	*7pm*14	13	☽ ♈	9 56	15	☽ ♊	*1am* 9	13	☽ ♋	10 47	12	☽ ♌	8 45
16	☽ ♒	*2am*15	17	☽ ♈	*3am*16	15	☽ ♉	*2pm*59	17	☽ ♋	3 30	15	☽ ♌	*0pm*20	14	☽ ♍	10 21
18	☽ ♓	*1pm* 8	19	☽ ♉	9 14	17	☽ ♊	6 48	19	☽ ♌	6 26	17	☽ ♍	3 42	17	☽ ♎	*2am*55
20	☽ ♈	9 44	21	☽ ♊	*1pm*26	19	☽ ♋	10 1	21	☽ ♍	10 20	19	☽ ♎	9 17	19	☽ ♏	10 45
22	☉ ♌	11 56	23	☉ ♍	*6am*54	22	☽ ♌	*0am*57	23	☉ ♏	*1pm*31	22	☽ ♏	*5am* 8	21	☽ ♐	*9pm*20
23	☽ ♉	*3am*41	23	☽ ♋	*4pm* 7	23	☉ ♎	4 21	23	☽ ♎	3 29	22	☉ ♐	10 55	22	☉ ♑	*0am* 8
25	☽ ♊	6 58	25	☽ ♌	5 50	24	☽ ♍	3 59	25	☽ ♏	10 29	24	☽ ♐	*3pm*12	24	☽ ♑	9 42
27	☽ ♋	8 11	27	☽ ♍	7 35	26	☽ ♎	8 2	28	☽ ♐	*7am*59	27	☽ ♑	*3am*13	26	☽ ♒	*10pm*43
29	☽ ♌	8 30	29	☽ ♎	10 53	28	☽ ♏	*2pm*19	30	☽ ♑	*7pm*58	29	☽ ♒	*4pm*17	29	☽ ♓	*11am*10
1	☽ ♍	9 36				30	☽ ♐	11 47							31	☽ ♈	*9pm*34

THE POSITION OF PLUTO ♇ IN 1973.

Date	Long.	Lat.	Dec.	Date	Long.	Lat.	Dec.	Date	Long.	Lat.	Dec.
	° ′	° ′	° ′		° ′	° ′	° ′		° ′	° ′	° ′
Jan. 1	4♎25	16N 28	13N 20	May 11	1♎56	16N 50	14N 39	Sept. 18	3♎56	16N 2	13N 8
11	4 ℞25	16 33	13 25	21	1 ℞48	16 46	14 38	28	4 19	16 2	12 58
21	4 22	16 39	13 32	31	1 42	16 42	14 36	Oct. 8	4 42	16 3	12 50
31	4 15	16 44	13 39	June 10	1 40	16 37	14 33	18	5 5	16 4	12 43
Feb. 10	4 5	16 49	13 47	20	1D 42	16 32	14 28	28	5 26	16 6	12 37
20	3 53	16 52	13 55	30	1 46	16 27	14 21	Nov. 7	5 46	16 10	12 32
Mar. 2	3 39	16 55	14 3	July 10	1 54	16 22	14 14	17	6 3	16 14	12 29
12	3 23	16 58	14 11	20	2 4	16 17	14 6	27	0 19	10 19	12 27
22	3 7	16 59	14 19	30	2 18	16 13	13 56	Dec. 7	6 31	16 24	12 27
Apr. 1	2 50	16 59	14 25	Aug. 9	2 34	16 10	13 47	17	6 41	16 29	12 28
11	2 34	16 58	14 31	19	2 52	16 7	13 37	27	6 47	16 35	12 31
21	2 20	16 56	14 35	29	3 12	16 4	13 27	31	6♎48	16N 37	12N 33
May 1	2♎ 7	16N 53	14N 38	Sept. 8	3♎34	16N 3	13N 17				

LOCAL MEAN TIME OF SUNRISE FOR LATITUDES
60° North to 50° South

FOR ALL SUNDAYS IN 1973. (ALL TIMES ARE A.M.)

Date	NORTHERN LATITUDES								SOUTHERN LATITUDES					
	LONDON	60°	55°	50°	40°	30°	20°	10°	0°	10°	20°	30°	40°	50°
	H M	H M	H M	H M	H M	H M	H M	H M	H M	H M	H M	H M	H M	H M
1972 Dec. 31	8 5	9 3	8 25	7 58	7 22	6 55	6 34	6 16	6 0	5 43	5 24	5 2	4 34	3 54
1973 Jan. 7	8 5	8 59	8 23	7 58	7 22	6 57	6 37	6 19	6 2	5 45	5 27	5 6	4 40	4 1
„ 14	8 1	8 50	8 17	7 54	7 21	6 57	6 38	6 21	6 5	5 49	5 32	5 12	4 47	4 11
„ 21	7 54	8 39	8 10	7 48	7 18	6 56	6 38	6 22	6 8	5 53	5 37	5 19	4 55	4 22
„ 28	7 45	8 25	7 59	7 40	7 13	6 53	6 37	6 23	6 9	5 56	5 42	5 25	5 3	4 34
Feb. 4	7 34	8 8	7 46	7 30	7 6	6 49	6 35	6 22	6 10	5 59	5 46	5 32	5 13	4 47
„ 11	7 22	7 51	7 33	7 19	6 59	6 44	6 32	6 21	6 11	6 1	5 50	5 37	5 21	4 58
„ 18	7 9	7 32	7 17	7 6	6 50	6 38	6 28	6 19	6 11	6 2	5 53	5 42	5 29	5 11
„ 25	6 55	7 12	7 1	6 53	6 40	6 31	6 23	6 16	6 10	6 4	5 57	5 48	5 38	5 24
Mar. 4	6 40	6 52	6 44	6 39	6 30	6 23	6 18	6 13	6 9	6 4	5 59	5 53	5 45	5 35
„ 11	6 25	6 31	6 27	6 24	6 19	6 16	6 12	6 10	6 7	6 4	6 1	5 57	5 52	5 46
„ 18	6 9	6 10	6 9	6 9	6 8	6 7	6 6	6 6	6 5	6 4	6 2	6 2	6 0	5 57
„ 25	5 53	5 49	5 52	5 53	5 57	5 59	6 0	6 2	6 3	6 4	6 4	6 5	6 7	6 8
Apr. 1	5 37	5 27	5 33	5 38	5 45	5 50	5 54	5 58	6 1	6 4	6 7	6 10	6 15	6 20
„ 8	5 21	5 6	5 16	5 23	5 34	5 42	5 48	5 54	5 59	6 3	6 9	6 15	6 22	6 31
„ 15	5 6	4 45	4 59	5 8	5 23	5 34	5 42	5 50	5 57	6 4	6 11	6 19	6 28	6 41
„ 22	4 51	4 25	4 42	4 54	5 13	5 26	5 37	5 46	5 55	6 4	6 12	6 23	6 35	6 51
„ 29	4 37	4 5	4 26	4 41	5 3	5 20	5 32	5 44	5 54	6 5	6 15	6 28	6 42	7 3
May 6	4 24	3 46	4 11	4 29	4 55	5 13	5 28	5 41	5 53	6 5	6 18	6 32	6 49	7 13
„ 13	4 12	3 28	3 57	4 18	4 47	5 8	5 25	5 39	5 53	6 6	6 20	6 37	6 56	7 24
„ 20	4 2	3 12	3 45	4 8	4 41	5 4	5 22	5 38	5 53	6 7	6 22	6 40	7 1	7 32
„ 27	3 53	2 58	3 35	4 0	4 36	5 1	5 21	5 38	5 53	6 9	6 26	6 45	7 8	7 41
June 3	3 48	2 47	3 27	3 55	4 32	4 59	5 20	5 38	5 54	6 11	6 28	6 48	7 13	7 48
„ 10	3 43	2 39	3 22	3 51	4 31	4 58	5 20	5 38	5 56	6 13	6 31	6 52	7 17	7 54
„ 17	3 42	2 35	3 20	3 50	4 30	4 58	5 20	5 39	5 57	6 14	6 33	6 54	7 20	7 58
„ 24	3 43	2 36	3 21	3 51	4 32	5 0	5 22	5 41	5 58	6 16	6 35	6 56	7 23	8 0
July 1	3 47	2 41	3 25	3 54	4 34	5 2	5 24	5 42	6 0	6 18	6 36	6 57	7 23	8 0
„ 8	3 52	2 50	3 31	4 0	4 38	5 5	5 26	5 44	6 1	6 18	6 35	6 56	7 21	7 57
„ 15	3 59	3 2	3 40	4 6	4 43	5 8	5 29	5 46	6 2	6 18	6 35	6 54	7 17	7 51
„ 22	4 8	3 16	3 51	4 15	4 49	5 12	5 31	5 48	6 3	6 17	6 33	6 51	7 14	7 46
„ 29	4 18	3 32	4 2	4 24	4 55	5 17	5 34	5 49	6 3	6 17	6 31	6 48	7 8	7 37
Aug. 5	4 29	3 48	4 15	4 34	5 1	5 21	5 36	5 50	6 2	6 15	6 28	6 43	7 1	7 27
„ 12	4 40	4 5	4 28	4 44	5 8	5 25	5 39	5 51	6 2	6 13	6 24	6 37	6 53	7 15
„ 19	4 50	4 22	4 41	4 54	5 14	5 29	5 41	5 51	6 0	6 9	6 19	6 30	6 43	7 3
„ 26	5 2	4 39	4 54	5 5	5 21	5 33	5 43	5 51	5 58	6 6	6 14	6 23	6 34	6 49
Sept. 2	5 13	4 56	5 7	5 15	5 28	5 37	5 44	5 51	5 56	6 2	6 8	6 14	6 22	6 33
„ 9	5 25	5 12	5 20	5 26	5 34	5 41	5 46	5 50	5 54	5 58	6 2	6 6	6 11	6 18
„ 16	5 35	5 28	5 33	5 36	5 41	5 45	5 47	5 50	5 52	5 54	5 56	5 58	6 0	6 3
„ 23	5 46	5 45	5 46	5 47	5 48	5 48	5 49	5 49	5 49	5 49	5 49	5 49	5 48	5 47
„ 30	5 58	6 2	6 0	5 57	5 55	5 52	5 50	5 49	5 47	5 45	5 43	5 41	5 38	5 34
Oct. 7	6 9	6 18	6 13	6 8	6 2	5 56	5 52	5 48	5 45	5 41	5 36	5 32	5 26	5 18
„ 14	6 21	6 35	6 26	6 19	6 9	6 1	5 54	5 48	5 43	5 37	5 31	5 23	5 14	5 2
„ 21	6 33	6 53	6 40	6 30	6 16	6 6	5 57	5 49	5 42	5 33	5 25	5 16	5 4	4 47
„ 28	6 46	7 10	6 54	6 42	6 24	6 11	6 0	5 50	5 41	5 31	5 21	5 9	4 54	4 34
Nov. 4	6 58	7 28	7 8	6 54	6 32	6 16	6 3	5 51	5 40	5 29	5 17	5 4	4 46	4 22
„ 11	7 10	7 46	7 23	7 5	6 40	6 22	6 6	5 53	5 41	5 28	5 15	4 59	4 39	4 11
„ 18	7 22	8 4	7 37	7 17	6 48	6 27	6 10	5 56	5 42	5 28	5 12	4 55	4 33	4 1
„ 25	7 34	8 21	7 50	7 28	6 56	6 33	6 15	5 59	5 43	5 28	5 11	4 52	4 28	3 54
Dec. 2	7 44	8 36	8 2	7 37	7 3	6 39	6 19	6 2	5 46	5 30	5 12	4 52	4 26	3 49
„ 9	7 53	8 49	8 12	7 46	7 10	6 44	6 24	6 6	5 49	5 32	5 14	4 52	4 25	3 46
„ 16	8 0	8 58	8 19	7 52	7 15	6 49	6 28	6 9	5 52	5 34	5 15	4 53	4 25	3 45
„ 23	8 4	9 3	8 24	7 57	7 19	6 53	6 31	6 13	5 55	5 38	5 19	4 57	4 28	3 48
„ 30	8 5	9 4	8 25	7 59	7 22	6 55	6 34	6 16	5 59	5 41	5 22	5 1	4 33	3 53
1974 Jan. 6	8 5	9 0	8 24	7 58	7 22	6 57	6 36	6 19	6 2	5 45	5 27	5 6	4 39	4 0

Example:—To find the time of Sunrise in Jamaica (Latitude 18° N.) on Wednesday June 20th, 1973. On June 17th, L.M.T. = 5h. 20m. + $\frac{2}{10}$ × 19m. = 5h. 24m., on June 24th, L.M.T. = 5h. 22m. + $\frac{2}{10}$ × 19m. = 5h. 26m., therefore L.M.T. on June 20th = 5h. 24m. + $\frac{3}{7}$ × 2m. = 5h. 25m. A.M.

LOCAL MEAN TIME OF SUNSET FOR LATITUDES
60° North to 50° South
FOR ALL SUNDAYS IN 1973. (ALL TIMES ARE P.M.)

Date	NORTHERN LATITUDES									SOUTHERN LATITUDES				
	LONDON	60°	55°	50°	40°	30°	20°	10°	0°	10°	20°	30°	40°	50°
1972	H M	H M	H M	H M	H M	H M	H M	H M	H M	H M	H M	H M	H M	H M
Dec. 31	4 1	3 3	3 41	4 8	4 45	5 11	5 32	5 49	6 6	6 24	6 42	7 4	7 32	8 12
1973														
Jan. 7	4 8	3 14	3 50	4 15	4 50	5 16	5 36	5 54	6 10	6 26	6 44	7 5	7 32	8 10
,, 14	4 18	3 29	4 1	4 25	4 58	5 21	5 40	5 57	6 13	6 28	6 45	7 5	7 31	8 6
,, 21	4 29	3 45	4 14	4 35	5 6	5 27	5 45	6 0	6 15	6 29	6 45	7 4	7 27	8 0
,, 28	4 42	4 3	4 28	4 47	5 14	5 34	5 49	6 4	6 17	6 30	6 44	7 1	7 22	7 52
Feb. 4	4 55	4 21	4 43	4 59	5 22	5 39	5 54	6 6	6 18	6 30	6 42	6 57	7 15	7 41
,, 11	5 7	4 39	4 57	5 11	5 31	5 45	5 57	6 8	6 18	6 28	6 39	6 52	7 8	7 29
,, 18	5 20	4 58	5 12	5 23	5 39	5 51	6 0	6 9	6 18	6 25	6 35	6 45	6 58	7 15
,, 25	5 33	5 16	5 26	5 35	5 47	5 56	6 4	6 10	6 17	6 23	6 30	6 38	6 48	7 2
Mar. 4	5 45	5 34	5 41	5 46	5 55	6 1	6 6	6 11	6 15	6 20	6 25	6 31	6 38	6 49
,, 11	5 57	5 51	5 55	5 58	6 2	6 5	6 8	6 11	6 14	6 16	6 19	6 23	6 27	6 34
,, 18	6 9	6 8	6 9	6 9	6 9	6 10	6 10	6 11	6 12	6 12	6 13	6 15	6 16	6 19
,, 25	6 21	6 25	6 22	6 20	6 17	6 14	6 12	6 11	6 9	6 8	6 7	6 6	6 5	6 3
Apr. 1	6 32	6 42	6 36	6 31	6 24	6 18	6 14	6 11	6 7	6 4	6 1	5 57	5 53	5 47
,, 8	6 44	6 59	6 49	6 42	6 31	6 23	6 16	6 10	6 5	6 0	5 55	5 49	5 42	5 32
,, 15	6 56	7 16	7 3	6 53	6 38	6 27	6 18	6 10	6 4	5 57	5 50	5 42	5 31	5 18
,, 22	7 7	7 34	7 17	7 4	6 45	6 31	6 20	6 11	6 2	5 53	5 45	5 35	5 21	5 4
,, 29	7 18	7 51	7 30	7 14	6 52	6 36	6 22	6 11	6 1	5 50	5 40	5 28	5 12	4 52
May 6	7 30	8 8	7 44	7 25	6 59	6 40	6 25	6 12	6 0	5 48	5 36	5 22	5 4	4 40
,, 13	7 41	8 25	7 57	7 36	7 6	6 45	6 28	6 13	6 0	5 47	5 32	5 16	4 56	4 29
,, 20	7 52	8 42	8 8	7 45	7 12	6 49	6 31	6 15	6 0	5 46	5 29	5 12	4 50	4 20
,, 27	8 1	8 57	8 20	7 54	7 18	6 53	6 34	6 16	6 0	5 45	5 28	5 9	4 46	4 13
June 3	8 9	9 10	8 29	8 1	7 24	6 57	6 36	6 18	6 2	5 45	5 27	5 7	4 42	4 7
,, 10	8 15	9 20	8 37	8 7	7 28	7 0	6 39	6 20	6 3	5 46	5 28	5 7	4 41	4 4
,, 17	8 19	9 26	8 41	8 11	7 31	7 3	6 41	6 22	6 4	5 47	5 29	5 7	4 41	4 3
,, 24	8 21	9 28	8 43	8 13	7 33	7 4	6 42	6 23	6 6	5 49	5 30	5 9	4 42	4 5
July 1	8 20	9 26	8 42	8 13	7 33	7 5	6 43	6 25	6 7	5 51	5 32	5 11	4 45	4 8
,, 8	8 17	9 19	8 38	8 10	7 31	7 4	6 43	6 25	6 8	5 52	5 34	5 14	4 49	4 13
,, 15	8 11	9 8	8 31	8 4	7 28	7 3	6 43	6 25	6 9	5 54	5 37	5 17	4 54	4 20
,, 22	8 4	8 55	8 21	7 57	7 23	7 0	6 41	6 25	6 10	5 55	5 39	5 21	4 59	4 27
,, 29	7 54	8 39	8 10	7 48	7 17	6 56	6 38	6 24	6 10	5 56	5 42	5 26	5 5	4 37
Aug. 5	7 42	8 22	7 56	7 37	7 10	6 50	6 35	6 22	6 9	5 57	5 44	5 30	5 11	4 46
,, 12	7 29	8 3	7 41	7 25	7 2	6 44	6 31	6 19	6 8	5 58	5 46	5 34	5 17	4 56
,, 19	7 16	7 44	7 26	7 12	6 52	6 38	6 26	6 16	6 7	5 58	5 48	5 37	5 24	5 7
,, 26	7 1	7 23	7 9	6 58	6 42	6 30	6 21	6 13	6 5	5 58	5 50	5 41	5 30	5 17
Sept. 2	6 45	7 2	6 52	6 43	6 31	6 22	6 15	6 9	6 3	5 57	5 52	5 45	5 37	5 27
,, 9	6 29	6 41	6 34	6 28	6 20	6 14	6 9	6 4	6 0	5 57	5 53	5 49	5 44	5 37
,, 16	6 14	6 20	6 16	6 13	6 8	6 5	6 2	6 0	5 58	5 57	5 55	5 53	5 51	5 48
,, 23	5 58	5 59	5 58	5 57	5 57	5 56	5 56	5 56	5 56	5 56	5 56	5 57	5 57	5 58
,, 30	5 41	5 37	5 40	5 42	5 45	5 47	5 50	5 51	5 53	5 56	5 58	6 0	6 4	6 8
Oct. 7	5 26	5 17	5 22	5 27	5 34	5 39	5 43	5 47	5 51	5 55	6 0	6 4	6 11	6 18
,, 14	5 11	4 56	5 5	5 12	5 23	5 31	5 38	5 44	5 49	5 55	6 2	6 9	6 19	6 30
,, 21	4 55	4 36	4 48	4 58	5 13	5 24	5 33	5 40	5 48	5 55	6 4	6 14	6 26	6 42
,, 28	4 41	4 16	4 33	4 45	5 3	5 17	5 28	5 38	5 47	5 57	6 7	6 19	6 34	6 54
Nov. 4	4 29	3 58	4 18	4 33	4 55	5 11	5 24	5 36	5 47	5 59	6 11	6 25	6 42	7 6
,, 11	4 18	3 41	4 4	4 22	4 48	5 6	5 22	5 35	5 48	6 1	6 14	6 30	6 50	7 18
,, 18	4 8	3 25	3 53	4 13	4 42	5 3	5 20	5 35	5 49	6 3	6 18	6 36	6 58	7 30
,, 25	4 0	3 12	3 43	4 6	4 38	5 1	5 19	5 35	5 51	6 6	6 22	6 42	7 6	7 40
Dec. 2	3 54	3 2	3 37	4 1	4 35	5 0	5 20	5 37	5 53	6 9	6 27	6 48	7 13	7 50
,, 9	3 51	2 56	3 32	3 58	4 35	5 0	5 21	5 39	5 56	6 13	6 31	6 53	7 20	8 0
,, 16	3 51	2 53	3 32	3 58	4 36	5 2	5 23	5 42	5 59	6 16	6 35	6 57	7 25	8 6
,, 23	3 54	2 55	3 34	4 1	4 39	5 5	5 27	5 45	6 3	6 20	6 39	7 1	7 29	8 10
,, 30	4 0	3 2	3 40	4 6	4 43	5 10	5 31	5 49	6 6	6 23	6 42	7 4	7 32	8 12
1974														
Jan. 6	4 7	3 12	3 18	4 14	4 49	5 15	5 35	5 53	6 10	6 26	6 44	7 5	7 32	8 11

Example:—To find the time of Sunset in Canberra (Latitude 35.3°S.) on Thursday August 2nd, 1973. On July 29th, L.M.T. = 5h. 26m. − $\frac{5 \cdot 3}{10}$ × 21m. = 5h. 15m., on August 5th, L.M.T. = 5h. 30m. − $\frac{5 \cdot 3}{10}$ × 19m. = 5h. 20m., therefore L.M.T. on August 2nd = 5h. 15m. + $\frac{4}{7}$ × 5m. = 5h. 18m. P.M.

TABLES OF HOUSES FOR LONDON, Latitude 51° 32′ *N.*

Sidereal Time H.	M.	S.	10 ♈ °	11 ♉ °	12 ♊ °	Ascen ♋ °	′	2 ♌ °	3 ♍ °
0	0	0	0	9	22	26	36	12	3
0	3	40	1	10	23	27	17	13	3
0	7	20	2	11	24	27	56	14	4
0	11	0	3	12	25	28	42	15	5
0	14	41	4	13	25	29	17	15	6
0	18	21	5	14	26	29	55	16	7
0	22	2	6	15	27	0 ♌	34	17	8
0	25	42	7	16	28	1	14	18	8
0	29	23	8	17	29	1	55	18	9
0	33	4	9	18	♋	2	33	19	10
0	36	45	10	19	1	3	14	20	11
0	40	26	11	20	1	3	54	20	12
0	44	8	12	21	2	4	33	21	13
0	47	50	13	22	3	5	12	22	14
0	51	32	14	23	4	5	52	23	15
0	55	14	15	24	5	6	30	23	15
0	58	57	16	25	6	7	9	24	16
1	2	40	17	26	6	7	50	25	17
1	6	23	18	27	7	8	30	26	18
1	10	7	19	28	8	9	9	26	19
1	13	51	20	29	9	9	48	27	19
1	17	35	21	♊	10	10	28	28	20
1	21	20	22	1	10	11	8	28	21
1	25	6	23	2	11	11	48	29	22
1	28	52	24	3	12	12	28	♍	23
1	32	38	25	4	13	13	8	1	24
1	36	25	26	5	14	13	48	1	25
1	40	12	27	6	14	14	28	2	25
1	44	0	28	7	15	15	8	3	26
1	47	48	29	8	16	15	48	4	27
1	51	37	30	9	17	16	28	4	28

Sidereal Time H.	M.	S.	10 ♉ °	11 ♊ °	12 ♋ °	Ascen ♌ °	′	2 ♍ °	3 ♍ °
1	51	37	0	9	17	16	28	4	28
1	55	27	1	10	18	17	8	5	29
1	59	17	2	11	19	17	48	6	♎
2	3	8	3	12	19	18	28	7	1
2	6	59	4	13	20	19	9	8	2
2	10	51	5	14	21	19	49	9	2
2	14	44	6	15	22	20	29	9	3
2	18	37	7	16	22	21	10	10	4
2	22	31	8	17	23	21	51	11	5
2	26	25	9	18	24	22	32	11	6
2	30	20	10	19	25	23	14	12	7
2	34	16	11	20	25	23	55	13	8
2	38	13	12	21	26	24	36	14	9
2	42	10	13	22	27	25	17	15	10
2	46	8	14	23	28	25	58	15	11
2	50	7	15	24	29	26	40	16	12
2	54	7	16	25	29	27	22	17	12
2	58	7	17	26	♌	28	4	18	13
3	2	8	18	27	1	28	46	18	14
3	6	9	19	27	2	29	28	19	15
3	10	12	20	28	3	0 ♍	12	20	16
3	14	15	21	29	3	0	54	21	17
3	18	19	22	♋	4	1	36	22	18
3	22	23	23	1	5	2	20	22	19
3	26	29	24	2	6	3	2	23	20
3	30	35	25	3	7	3	45	24	21
3	34	41	26	4	7	4	28	25	22
3	38	49	27	5	8	5	11	26	23
3	42	57	28	6	9	5	54	27	24
3	47	6	29	7	10	6	38	27	25
3	51	15	30	8	11	7	21	28	25

Sidereal Time H.	M.	S.	10 ♊ °	11 ♋ °	12 ♌ °	Ascen ♍ °	′	2 ♍ °	3 ♎ °
3	51	15	0	8	11	7	21	28	25
3	55	25	1	9	12	8	5	29	26
3	59	36	2	10	12	8	49	♎	27
4	3	48	3	10	13	9	33	1	28
4	8	0	4	11	14	10	17	2	29
4	12	13	5	12	15	11	2	2	♏
4	16	26	6	13	16	11	46	3	1
4	20	40	7	14	17	12	30	4	2
4	24	55	8	15	17	13	15	5	3
4	29	10	9	16	18	14	0	6	4
4	33	26	10	17	19	14	45	7	5
4	37	42	11	18	20	15	30	8	6
4	41	59	12	19	21	16	15	8	7
4	46	16	13	20	21	17	0	9	8
4	50	34	14	21	22	17	45	10	9
4	54	52	15	22	23	18	30	11	10
4	59	10	16	23	24	19	16	12	11
5	3	29	17	24	25	20	3	13	12
5	7	49	18	25	26	20	49	14	13
5	12	9	19	25	27	21	35	14	14
5	16	29	20	26	28	22	20	15	14
5	20	49	21	27	28	23	6	16	15
5	25	9	22	28	29	23	51	17	16
5	29	30	23	29	♍	24	37	18	17
5	33	51	24	♌	1	25	23	19	18
5	38	12	25	1	2	26	9	20	19
5	42	34	26	2	3	26	55	21	20
5	46	55	27	3	4	27	41	21	21
5	51	17	28	4	4	28	27	22	22
5	55	38	29	5	5	29	13	23	23
6	0	0	30	6	6	30	0	24	24

Sidereal Time H.	M.	S.	10 ♋ °	11 ♌ °	12 ♍ °	Ascen ♎ °	′	2 ♎ °	3 ♏ °
6	0	0	0	6	6	0	0	24	24
6	4	22	1	7	7	0	47	25	25
6	8	43	2	8	8	1	33	26	26
6	13	5	3	9	9	2	19	27	27
6	17	26	4	10	10	3	5	27	28
6	21	48	5	11	10	3	51	28	29
6	26	9	6	12	11	4	37	29	♐
6	30	30	7	13	12	5	23	♏	1
6	34	51	8	14	13	6	9	1	2
6	39	11	9	15	14	6	55	2	3
6	43	31	10	16	15	7	40	2	4
6	47	51	11	16	16	8	26	3	4
6	52	11	12	17	16	9	12	4	5
6	56	31	13	18	17	9	58	5	6
7	0	50	14	19	18	10	43	6	7
7	5	8	15	20	19	11	28	7	8
7	9	26	16	21	20	12	14	8	9
7	13	44	17	22	21	12	59	8	10
7	18	1	18	23	22	13	45	9	11
7	22	18	19	24	23	14	30	10	12
7	26	34	20	25	24	15	15	11	13
7	30	50	21	26	25	16	0	12	14
7	35	5	22	27	25	16	45	13	15
7	39	20	23	28	26	17	30	13	16
7	43	34	24	29	27	18	15	14	17
7	47	47	25	♍	28	18	59	15	18
7	52	0	26	1	29	19	43	16	19
7	56	12	27	2	29	20	27	17	20
8	0	24	28	3	♎	21	11	18	20
8	4	35	29	4	1	21	56	18	21
8	8	45	30	5	2	22	40	19	22

Sidereal Time H.	M.	S.	10 ♌ °	11 ♍ °	12 ♎ °	Ascen ♎ °	′	2 ♏ °	3 ♐ °
8	8	45	0	5	2	22	40	19	22
8	12	54	1	5	3	23	24	20	23
8	17	3	2	6	3	24	7	21	24
8	21	11	3	7	4	24	50	22	25
8	25	19	4	8	5	25	34	23	26
8	29	26	5	9	6	26	18	23	27
8	33	31	6	10	7	27	1	24	28
8	37	37	7	11	8	27	44	25	29
8	41	41	8	12	8	28	26	26	♑
8	45	45	9	13	9	29	8	27	1
8	49	48	10	14	10	29	50	27	2
8	53	51	11	15	11	0 ♏	32	28	3
8	57	52	12	16	12	1	15	29	4
9	1	53	13	17	12	1	58	♐	4
9	5	53	14	18	13	2	39	1	5
9	9	53	15	18	14	3	21	1	6
9	13	52	16	19	15	4	3	2	7
9	17	50	17	20	16	4	44	3	8
9	21	47	18	21	16	5	26	3	9
9	25	44	19	22	17	6	7	4	10
9	29	40	20	23	18	6	48	5	11
9	33	35	21	24	18	7	29	5	12
9	37	29	22	25	19	8	9	6	13
9	41	23	23	26	20	8	50	7	14
9	45	16	24	27	21	9	31	8	15
9	49	9	25	28	22	10	11	9	16
9	53	1	26	28	23	10	51	9	17
9	56	52	27	29	23	11	32	10	18
10	0	43	28	♎	24	12	12	11	19
10	4	33	29	1	25	12	53	12	20
10	8	23	30	2	26	13	33	13	20

Sidereal Time H.	M.	S.	10 ♍ °	11 ♎ °	12 ♎ °	Ascen ♏ °	′	2 ♐ °	3 ♑ °
10	8	23	0	2	26	13	33	13	20
10	12	12	1	3	26	14	13	14	21
10	16	0	2	4	27	14	53	15	22
10	19	48	3	5	28	15	33	15	23
10	23	35	4	5	29	16	13	16	24
10	27	22	5	6	29	16	52	17	25
10	31	8	6	7	♏	17	32	18	26
10	34	54	7	8	1	18	12	19	27
10	38	40	8	9	2	18	52	20	28
10	42	25	9	10	2	19	31	20	29
10	46	9	10	11	3	20	11	21	♒
10	49	53	11	11	4	20	50	22	1
10	53	37	12	12	4	21	30	23	2
10	57	20	13	13	5	22	9	24	3
11	1	3	14	14	6	22	49	24	4
11	4	46	15	15	7	23	28	25	5
11	8	28	16	16	7	24	8	26	6
11	12	10	17	17	8	24	47	27	8
11	15	52	18	17	9	25	27	28	9
11	19	34	19	18	10	26	6	29	10
11	23	15	20	19	10	26	45	♑	11
11	26	56	21	20	11	27	25	0	12
11	30	37	22	21	12	28	5	1	13
11	34	18	23	22	13	28	44	2	14
11	37	58	24	23	13	29	24	3	15
11	41	39	25	23	14	0 ♐	3	4	16
11	45	19	26	24	15	0	43	5	17
11	49	0	27	25	15	1	23	6	18
11	52	40	28	26	16	2	3	6	19
11	56	20	29	27	17	2	43	7	20
12	0	0	30	27	17	3	23	8	21

TABLES OF HOUSES FOR LONDON, *Latitude* 51° 32′ *N.*

Sidereal Time H.	M.	S.	10 ♎ °	11 ♎ °	12 ♏ °	Ascen ♐ °	′	2 ♑ °	3 ♒ °
12	0	0	0	27	17	3	23	8	21
12	3	40	1	28	18	4	4	9	23
12	7	20	2	29	19	4	45	10	24
12	11	0	3	♏	20	5	26	11	25
12	14	41	4	1	20	6	7	12	26
12	18	21	5	1	21	6	48	13	27
12	22	2	6	2	22	7	29	14	28
12	25	42	7	3	23	8	10	15	29
12	29	23	8	4	23	8	51	16	♓
12	33	4	9	5	24	9	33	17	2
12	36	45	10	6	25	10	15	18	3
12	40	26	11	6	25	10	57	19	4
12	44	8	12	7	26	11	40	20	5
12	47	50	13	8	27	12	22	21	6
12	51	32	14	9	28	13	4	22	7
12	55	14	15	10	28	13	47	23	9
12	58	57	16	11	29	14	30	24	10
13	2	40	17	11	♐	15	14	25	11
13	6	23	18	12	1	15	59	26	12
13	10	7	19	13	1	16	44	27	13
13	13	51	20	14	2	17	29	28	15
13	17	35	21	15	3	18	14	29	16
13	21	20	22	16	4	19	0	♒	17
13	25	6	23	16	4	19	45	1	18
13	28	52	24	17	5	20	31	2	20
13	32	38	25	18	6	21	18	4	21
13	36	25	26	19	7	22	6	5	22
13	40	12	27	20	7	22	54	6	23
13	44	0	28	21	8	23	42	7	25
13	47	48	29	21	9	24	31	8	26
13	51	37	30	22	10	25	20	10	27

Sidereal Time H.	M.	S.	10 ♏ °	11 ♏ °	12 ♐ °	Ascen ♐ °	′	2 ♒ °	3 ♓ °
13	51	37	0	22	10	25	20	10	27
13	55	27	1	23	11	26	10	11	28
13	59	17	2	24	11	27	2	12	♈
14	3	8	3	25	12	27	53	14	1
14	6	59	4	26	13	28	45	15	2
14	10	51	5	26	14	29	36	16	4
14	14	44	6	27	15	0 ♑	29	18	5
14	18	37	7	28	15	1	23	19	6
14	22	31	8	29	16	2	18	20	8
14	26	25	9	♐	17	3	14	22	9
14	30	20	10	1	18	4	11	23	10
14	34	16	11	2	19	5	9	25	11
14	38	13	12	2	20	6	7	26	13
14	42	10	13	3	20	7	6	28	14
14	46	8	14	4	21	8	6	29	15
14	50	7	15	5	22	9	8	♓	17
14	54	7	16	6	23	10	11	2	18
14	58	7	17	7	24	11	15	4	19
15	2	8	18	8	25	12	20	6	21
15	6	9	19	9	26	13	27	8	22
15	10	12	20	9	27	14	35	9	23
15	14	15	21	10	27	15	43	11	24
15	18	19	22	11	28	16	52	13	26
15	22	23	23	12	29	18	3	14	27
15	26	29	24	13	♑	19	16	16	28
15	30	35	25	14	1	20	32	17	29
15	34	41	26	15	2	21	48	19	♉
15	38	49	27	16	3	23	8	21	2
15	42	57	28	17	4	24	29	22	3
15	47	6	29	18	5	25	51	24	5
15	51	15	30	18	6	27	15	26	6

Sidereal Time H.	M.	S.	10 ♐ °	11 ♐ °	12 ♑ °	Ascen ♑ °	′	2 ♓ °	3 ♉ °
15	51	15	0	18	6	27	15	26	6
15	55	25	1	19	7	28	42	28	7
15	59	36	2	20	8	0 ♒	11	♈	9
16	3	48	3	21	9	1	42	2	10
16	8	0	4	22	10	3	16	3	11
16	12	13	5	23	11	4	53	5	12
16	16	26	6	24	12	6	32	7	14
16	20	40	7	25	13	8	13	9	15
16	24	55	8	26	14	9	57	11	16
16	29	10	9	27	16	11	44	12	17
16	33	26	10	28	17	13	34	14	18
16	37	42	11	29	18	15	26	16	20
16	41	59	12	♑	19	17	20	18	21
16	46	16	13	1	20	19	18	20	22
16	50	34	14	2	21	21	22	21	23
16	54	52	15	3	22	23	29	23	25
16	59	10	16	4	24	25	36	25	26
17	3	29	17	5	25	27	46	27	27
17	7	49	18	6	26	0 ♓	0	28	28
17	12	9	19	7	27	2	19	♉	29
17	16	29	20	8	29	4	40	2	♊
17	20	49	21	9	♒	7	2	3	1
17	25	9	22	10	1	9	26	5	2
17	29	30	23	11	3	11	54	7	3
17	33	51	24	12	4	14	24	8	5
17	38	12	25	13	5	16	58	10	6
17	42	34	26	14	7	19	31	11	7
17	46	55	27	15	8	22	5	13	8
17	51	17	28	16	10	24	41	14	9
17	55	38	29	17	11	27	21	16	10
18	0	0	30	18	13	30	0	17	11

Sidereal Time H.	M.	S.	10 ♑ °	11 ♑ °	12 ♒ °	Ascen ♈ °	′	2 ♉ °	3 ♊ °
18	0	0	0	18	13	0	0	17	11
18	4	22	1	20	14	2	39	19	13
18	8	43	2	21	16	5	19	20	14
18	13	5	3	22	17	7	55	22	15
18	17	26	4	23	19	10	29	23	16
18	21	48	5	24	20	13	2	25	17
18	26	9	6	25	22	15	36	26	18
18	30	30	7	26	23	18	6	28	19
18	34	51	8	27	25	20	34	29	20
18	39	11	9	29	27	22	59	♊	21
18	43	31	10	♒	28	25	22	1	22
18	47	51	11	1	♓	27	42	2	23
18	52	11	12	2	2	29	58	4	24
18	56	31	13	3	3	2 ♉	13	5	25
19	0	50	14	4	5	4	24	6	26
19	5	8	15	6	7	6	30	8	27
19	9	26	16	7	9	8	36	9	28
19	13	44	17	8	10	10	40	10	29
19	18	1	18	9	12	12	39	11	♋
19	22	18	19	10	14	14	35	12	1
19	26	34	20	12	16	16	28	13	2
19	30	50	21	13	18	18	17	14	3
19	35	5	22	14	19	20	3	16	4
19	39	20	23	15	21	21	48	17	5
19	43	34	24	16	23	23	29	18	6
19	47	47	25	18	25	25	9	19	7
19	52	0	26	19	27	26	45	20	8
19	56	12	27	20	28	28	18	21	9
20	0	24	28	21	♈	29	49	22	10
20	4	35	29	23	2	1 ♊	19	23	11
20	8	45	30	24	4	2	45	24	12

Sidereal Time H.	M.	S.	10 ♒ °	11 ♒ °	12 ♈ °	Ascen ♊ °	′	2 ♊ °	3 ♋ °
20	8	45	0	24	4	2	45	24	12
20	12	54	1	25	6	4	9	25	12
20	17	3	2	27	7	5	32	26	13
20	21	11	3	28	9	6	53	27	14
20	25	19	4	29	11	8	12	28	15
20	29	25	5	♓	13	9	27	29	16
20	33	31	6	2	14	10	43	♋	17
20	37	37	7	3	16	11	58	1	18
20	41	41	8	4	18	13	9	2	19
20	45	45	9	6	19	14	18	3	20
20	49	48	10	7	21	15	25	3	21
20	53	51	11	8	23	16	32	4	21
20	57	52	12	9	24	17	39	5	22
21	1	53	13	11	26	18	44	6	23
21	5	53	14	12	28	19	48	7	24
21	9	53	15	13	29	20	51	8	25
21	13	52	16	15	♉	21	53	9	26
21	17	50	17	16	2	22	53	10	27
21	21	47	18	17	4	23	52	10	28
21	25	44	19	19	5	24	51	11	28
21	29	40	20	20	7	25	48	12	29
21	33	35	21	22	8	26	44	13	♌
21	37	29	22	23	10	27	40	14	1
21	41	23	23	24	11	28	34	15	2
21	45	16	24	25	13	29	29	15	3
21	49	9	25	26	14	0 ♋	22	16	4
21	53	1	26	28	15	1	15	17	4
21	56	52	27	29	16	2	7	18	5
22	0	43	28	♈	18	2	57	19	6
22	4	33	29	2	19	3	48	19	7
22	8	23	30	3	20	4	38	20	8

Sidereal Time H.	M.	S.	10 ♓ °	11 ♈ °	12 ♉ °	Ascen ♋ °	′	2 ♋ °	3 ♌ °
22	8	23	0	3	20	4	38	20	8
22	12	12	1	4	21	5	28	21	8
22	16	0	2	6	23	6	17	22	9
22	19	48	3	7	24	7	5	23	10
22	23	35	4	8	25	7	53	23	11
22	27	22	5	9	26	8	42	24	12
22	31	8	6	10	28	9	29	25	13
22	34	54	7	12	29	10	16	26	14
22	38	40	8	13	♊	11	2	26	14
22	42	25	9	14	1	11	47	27	15
22	46	9	10	15	2	12	31	28	16
22	49	53	11	17	3	13	16	29	17
22	53	37	12	18	4	14	1	29	18
22	57	20	13	19	5	14	45	♌	19
23	1	3	14	20	6	15	28	1	19
23	4	46	15	21	7	16	11	2	20
23	8	28	16	23	8	16	54	2	21
23	12	10	17	24	9	17	37	3	22
23	15	52	18	25	10	18	20	4	23
23	19	34	19	26	11	19	3	5	24
23	23	15	20	27	12	19	45	5	24
23	26	56	21	29	13	20	26	6	25
23	30	37	22	♉	14	21	8	7	26
23	34	18	23	1	15	21	50	7	27
23	37	58	24	2	16	22	31	8	28
23	41	39	25	3	17	23	12	9	28
23	45	19	26	4	18	23	53	9	29
23	49	0	27	5	19	24	32	10	♍
23	52	40	28	6	20	25	15	11	1
23	56	20	29	8	21	25	56	12	2
24	0	0	30	9	22	26	36	13	3

TABLES OF HOUSES FOR LIVERPOOL. *Latitude* 53° 25′ N.

Sidereal Time H.	M.	S.	10 ♈ °	11 ♉ °	12 ♊ °	Ascen ♋ °	′	2 ♌ °	3 ♍ °
0	0	0	0	9	24	28	12	14	3
0	3	40	1	10	25	28	51	14	4
0	7	20	2	12	25	29	30	15	4
0	11	0	3	13	26	0 ♌	9	16	5
0	14	41	4	14	27	0	48	17	6
0	18	21	5	15	28	1	27	17	7
0	22	2	6	16	29	2	6	18	8
0	25	42	7	17	♋	2	44	19	9
0	29	23	8	18	1	3	22	19	10
0	33	4	9	19	1	4	1	20	10
0	36	45	10	20	2	4	39	21	11
0	40	26	11	21	3	5	18	22	12
0	44	8	12	22	4	5	56	22	13
0	47	50	13	23	5	6	34	23	14
0	51	32	14	24	6	7	13	24	14
0	55	14	15	25	6	7	51	24	15
0	58	57	16	26	7	8	30	25	16
1	2	40	17	27	8	9	8	26	17
1	6	23	18	28	9	9	47	26	18
1	10	7	19	29	10	10	25	27	19
1	13	51	20	♊	11	11	4	28	19
1	17	35	21	1	11	11	43	28	20
1	21	20	22	2	12	12	21	29	21
1	25	6	23	3	13	13	0	♍	22
1	28	52	24	4	14	13	39	1	23
1	32	38	25	5	15	14	17	1	24
1	36	25	26	6	15	14	56	2	25
1	40	12	27	7	16	15	35	3	25
1	44	0	28	8	17	16	14	3	26
1	47	48	29	9	18	16	53	4	27
1	51	37	30	10	18	17	32	5	28

Sidereal Time H.	M.	S.	10 ♉ °	11 ♊ °	12 ♋ °	Ascen ♌ °	′	2 ♍ °	3 ♍ °
1	51	37	0	10	18	17	32	5	28
1	55	27	1	11	19	18	11	6	29
1	59	17	2	12	20	18	51	6	♎
2	3	8	3	13	21	19	30	7	1
2	6	59	4	14	22	20	9	8	2
2	10	51	5	15	22	20	49	9	2
2	14	44	6	16	23	21	28	9	3
2	18	37	7	17	24	22	8	10	4
2	22	31	8	18	25	22	48	11	5
2	26	25	9	19	25	23	28	12	6
2	30	20	10	20	26	24	8	12	7
2	34	16	11	21	27	24	48	13	8
2	38	13	12	22	28	25	28	14	9
2	42	10	13	23	29	26	8	15	10
2	46	8	14	24	29	26	49	15	10
2	50	7	15	25	♌	27	29	16	11
2	54	7	16	26	1	28	10	17	12
2	58	7	17	27	2	28	51	18	13
3	2	8	18	28	2	29	32	19	14
3	6	9	19	29	3	0 ♍	13	19	15
3	10	12	20	29	4	0	54	20	16
3	14	15	21	♋	5	1	36	21	17
3	18	19	22	1	5	2	17	22	18
3	22	23	23	2	6	2	59	23	19
3	26	29	24	3	7	3	41	23	20
3	30	35	25	4	8	4	23	24	21
3	34	41	26	5	9	5	5	25	22
3	38	49	27	6	10	5	47	26	22
3	42	57	28	7	10	6	29	27	23
3	47	6	29	8	11	7	12	27	24
3	51	15	30	9	12	7	55	28	25

Sidereal Time H.	M.	S.	10 ♊ °	11 ♋ °	12 ♌ °	Ascen ♍ °	′	2 ♍ °	3 ♎ °
3	51	15	0	9	12	7	55	28	25
3	55	25	1	10	13	8	37	29	26
3	59	36	2	11	13	9	20	♎	27
4	3	48	3	12	14	10	3	1	28
4	8	0	4	12	15	10	46	2	29
4	12	13	5	13	16	11	30	2	♏
4	16	26	6	14	17	12	13	3	1
4	20	40	7	15	18	12	56	4	2
4	24	55	8	16	18	13	40	5	3
4	29	10	9	17	19	14	24	6	4
4	33	26	10	18	20	15	8	7	5
4	37	42	11	19	21	15	52	7	6
4	41	59	12	20	21	16	36	8	6
4	46	16	13	21	22	17	20	9	7
4	50	34	14	22	23	18	4	10	8
4	54	52	15	23	24	18	48	11	9
4	59	10	16	24	25	19	32	12	10
5	3	29	17	24	26	20	17	12	11
5	7	49	18	25	26	21	1	13	12
5	12	9	19	26	27	21	46	14	13
5	16	29	20	27	28	22	31	15	14
5	20	49	21	28	29	23	16	16	15
5	25	9	22	29	♍	24	0	17	16
5	29	30	23	♌	1	24	45	18	17
5	33	51	24	1	1	25	30	18	18
5	38	12	25	2	2	26	15	19	19
5	42	34	26	3	3	27	0	20	20
5	46	55	27	4	4	27	45	21	21
5	51	17	28	5	5	28	30	22	21
5	55	38	29	6	6	29	15	23	22
6	0	0	30	7	7	30	0	23	23

Sidereal Time H.	M.	S.	10 ♋ °	11 ♌ °	12 ♍ °	Ascen ♎ °	′	2 ♎ °	3 ♏ °
6	0	0	0	7	7	0	0	23	23
6	4	22	1	8	7	0	45	24	24
6	8	43	2	9	8	1	30	25	25
6	13	5	3	9	9	2	15	26	26
6	17	26	4	10	10	3	0	27	27
6	21	48	5	11	11	3	45	28	28
6	26	9	6	12	12	4	30	29	29
6	30	30	7	13	12	5	15	29	♐
6	34	51	8	14	13	6	0	♏	1
6	39	11	9	15	14	6	44	1	2
6	43	31	10	16	15	7	29	2	3
6	47	51	11	17	16	8	14	3	4
6	52	11	12	18	17	8	59	4	5
6	56	31	13	19	18	9	43	4	6
7	0	50	14	20	18	10	27	5	6
7	5	8	15	21	19	11	11	6	7
7	9	26	16	22	20	11	56	7	8
7	13	44	17	23	21	12	40	8	9
7	18	1	18	24	22	13	24	8	10
7	22	18	19	24	23	14	8	9	11
7	26	34	20	25	23	14	52	10	12
7	30	50	21	26	24	15	36	11	13
7	35	5	22	27	25	16	20	12	14
7	39	20	23	28	26	17	4	13	15
7	43	34	24	29	27	17	47	13	16
7	47	47	25	♍	28	18	30	14	17
7	52	0	26	1	28	19	13	15	18
7	56	12	27	2	29	19	57	16	18
8	0	24	28	3	♎	20	40	17	19
8	4	35	29	4	1	21	23	17	20
8	8	45	30	5	2	22	5	18	21

Sidereal Time H.	M.	S.	10 ♌ °	11 ♍ °	12 ♎ °	Ascen ♎ °	′	2 ♏ °	3 ♐ °
8	8	45	0	5	2	22	5	18	21
8	12	54	1	6	2	22	48	19	22
8	17	3	2	7	3	23	30	20	23
8	21	11	3	8	4	24	13	20	24
8	25	19	4	8	5	24	55	21	25
8	29	26	5	9	6	25	37	22	26
8	33	31	6	10	7	26	19	23	27
8	37	37	7	11	7	27	1	24	28
8	41	41	8	12	8	27	43	25	29
8	45	45	9	13	9	28	24	25	♑
8	49	48	10	14	10	29	6	26	1
8	53	51	11	15	11	29	47	27	1
8	57	52	12	16	11	0 ♏	28	28	2
9	1	53	13	17	12	1	9	28	3
9	5	53	14	18	13	1	50	29	4
9	9	53	15	19	14	2	31	♐	5
9	13	52	16	19	15	3	11	1	6
9	17	50	17	20	15	3	52	1	7
9	21	47	18	21	16	4	32	2	8
9	25	44	19	22	17	5	12	3	9
9	29	40	20	23	18	5	52	4	10
9	33	35	21	24	18	6	32	5	11
9	37	29	22	25	19	7	12	5	12
9	41	23	23	26	20	7	52	6	13
9	45	16	24	27	21	8	32	7	14
9	49	9	25	27	21	9	12	8	15
9	53	1	26	28	22	9	51	8	16
9	56	52	27	29	23	10	30	9	17
10	0	43	28	♎	24	11	9	10	17
10	4	33	29	1	24	11	49	11	18
10	8	23	30	2	25	12	28	11	19

Sidereal Time H.	M.	S.	10 ♍ °	11 ♎ °	12 ♎ °	Ascen ♏ °	′	2 ♐ °	3 ♑ °
10	8	23	0	2	25	12	28	11	19
10	12	12	1	3	26	13	6	12	20
10	16	0	2	4	27	13	45	13	21
10	19	48	3	4	27	14	25	14	22
10	23	35	4	5	28	15	4	15	23
10	27	22	5	6	29	15	42	15	24
10	31	8	6	7	29	16	21	16	25
10	34	54	7	8	♏	17	0	17	26
10	38	40	8	9	1	17	39	18	27
10	42	25	9	10	2	18	17	18	28
10	46	9	10	10	2	18	55	19	29
10	49	53	11	11	3	19	34	20	♒
10	53	37	12	12	4	20	13	21	1
10	57	20	13	13	4	20	52	22	2
11	1	3	14	14	5	21	30	22	3
11	4	46	15	15	6	22	8	23	5
11	8	28	16	16	7	22	46	24	6
11	12	10	17	16	7	23	25	25	7
11	15	52	18	17	8	24	4	26	8
11	19	34	19	18	9	24	42	26	9
11	23	15	20	19	9	25	21	27	10
11	26	56	21	20	10	25	59	28	11
11	30	37	22	20	11	26	38	29	12
11	34	18	23	21	12	27	16	♑	13
11	37	58	24	22	12	27	54	1	14
11	41	39	25	23	13	28	33	1	15
11	45	19	26	24	14	29	11	2	16
11	49	0	27	25	14	29	50	3	17
11	52	40	28	26	15	0 ♐	30	4	18
11	56	20	29	26	16	1	9	5	20
12	0	0	30	27	16	1	48	6	21

TABLES OF HOUSES FOR LIVERPOOL, Latitude 53° 25′ N.

Sidereal Time.			10 ♎	11 ♎	12 ♏	Ascen ♐		2 ♑	3 ♒
H.	M.	S.	°	°	°	°	′	°	°
12	0	0	0	27	16	1	48	6	21
12	3	40	1	28	17	2	27	7	22
12	7	20	2	29	18	3	6	8	23
12	11	0	3	♏	18	3	46	9	24
12	14	41	4	0	19	4	25	10	25
12	18	21	5	1	20	5	6	10	26
12	22	2	6	2	21	5	46	11	28
12	25	42	7	3	21	6	26	12	29
12	29	23	8	4	22	7	6	13	♓
12	33	4	9	4	23	7	46	14	1
12	36	45	10	5	24	8	27	15	2
12	40	26	11	6	24	9	8	16	3
12	44	8	12	7	25	9	49	17	5
12	47	50	13	8	26	10	30	18	6
12	51	32	14	9	26	11	12	19	7
12	55	14	15	9	27	11	54	20	8
12	58	57	16	10	28	12	36	21	10
13	2	40	17	11	28	13	19	22	11
13	6	23	18	12	29	14	2	23	12
13	10	7	19	13	♐	14	45	25	13
13	13	51	20	13	1	15	28	26	15
13	17	35	21	14	1	16	12	27	16
13	21	20	22	15	2	16	56	28	17
13	25	6	23	16	3	17	41	29	18
13	28	52	24	17	4	18	26	♒	19
13	32	38	25	17	4	19	11	1	21
13	36	25	26	18	5	19	57	3	22
13	40	12	27	19	6	20	44	4	23
13	44	0	28	20	7	21	31	5	24
13	47	48	29	21	7	22	18	7	26
13	51	37	30	21	8	23	6	8	27

Sidereal Time.			10 ♏	11 ♏	12 ♐	Ascen ♐		2 ♒	3 ♓
H.	M.	S.	°	°	°	°	′	°	°
13	51	37	0	21	8	23	6	8	27
13	55	27	1	22	9	23	55	9	28
13	59	17	2	23	10	24	43	10	♈
14	3	8	3	24	10	25	33	12	1
14	6	59	4	25	11	26	23	13	2
14	10	51	5	26	12	27	14	15	4
14	14	44	6	26	13	28	6	16	5
14	18	37	7	27	13	28	59	18	6
14	22	31	8	28	14	29	52	19	8
14	26	25	9	29	15	0 ♑	46	20	9
14	30	20	10	♐	16	1	41	22	10
14	34	16	11	1	17	2	36	23	11
14	38	13	12	2	18	3	33	25	13
14	42	10	13	2	18	4	30	26	14
14	46	8	14	3	19	5	29	28	16
14	50	7	15	4	20	6	29	♓	17
14	54	7	16	5	21	7	30	1	18
14	58	7	17	6	22	8	32	3	20
15	2	8	18	7	23	9	35	5	21
15	6	9	19	8	24	10	39	6	22
15	10	12	20	8	24	11	45	8	23
15	14	15	21	9	25	12	52	10	25
15	18	19	22	10	26	14	1	11	26
15	22	23	23	11	27	15	11	13	27
15	26	29	24	12	28	16	23	15	29
15	30	35	25	13	29	17	37	17	♉
15	34	41	26	14	♑	18	53	19	1
15	38	49	27	15	1	20	10	21	3
15	42	57	28	16	2	21	29	22	4
15	47	6	29	16	3	22	51	24	5
15	51	15	30	17	4	24	15	26	7

Sidereal Time.			10 ♐	11 ♐	12 ♑	Ascen ♑		2 ♓	3 ♉
H.	M.	S.	°	°	°	°	′	°	°
15	51	15	0	17	4	24	15	26	7
15	55	25	1	18	5	25	41	28	8
15	59	36	2	19	6	27	10	♈	9
16	3	48	3	20	7	28	41	2	10
16	8	0	4	21	8	0 ♒	14	4	12
16	12	13	5	22	9	1	50	5	13
16	16	26	6	23	10	3	30	7	14
16	20	40	7	24	11	5	13	9	15
16	24	55	8	25	12	6	58	11	17
16	29	10	9	26	13	8	46	13	18
16	33	26	10	27	14	10	38	15	19
16	37	42	11	28	15	12	32	17	20
16	41	59	12	29	16	14	31	19	22
16	46	16	13	♑	18	16	33	20	23
16	50	34	14	1	19	18	40	22	24
16	54	52	15	2	20	20	50	24	25
16	59	10	16	3	21	23	4	26	26
17	3	29	17	4	22	25	21	28	28
17	7	49	18	5	24	27	42	29	29
17	12	9	19	6	25	0 ♓	8	♉	♊
17	16	29	20	7	26	2	37	3	1
17	20	49	21	8	28	5	10	5	3
17	25	9	22	9	29	7	46	6	4
17	29	30	23	10	♒	10	24	8	5
17	33	51	24	11	2	13	7	10	6
17	38	12	25	12	3	15	52	11	7
17	42	34	26	13	4	18	38	13	8
17	46	55	27	14	6	21	27	15	9
17	51	17	28	15	7	24	17	16	10
17	55	38	29	16	9	27	8	18	12
18	0	0	30	17	11	30	0	19	13

Sidereal Time.			10 ♑	11 ♑	12 ♒	Ascen ♈		2 ♉	3 ♊
H.	M.	S.	°	°	°	°	′	°	°
18	0	0	0	17	11	0	0	19	13
18	4	22	1	18	12	2	52	21	14
18	8	43	2	20	14	5	43	23	15
18	13	5	3	21	15	8	33	24	16
18	17	26	4	22	17	11	22	25	17
18	21	48	5	23	19	14	8	27	18
18	26	9	6	24	20	16	53	28	19
18	30	30	7	25	22	19	36	♊	20
18	34	51	8	26	24	22	14	1	21
18	39	11	9	27	25	24	50	2	22
18	43	31	10	29	27	27	23	4	23
18	47	51	11	♒	28	29	52	5	24
18	52	11	12	1	♓	2 ♉	18	6	25
18	56	31	13	2	2	4	39	8	26
19	0	50	14	4	4	6	56	9	27
19	5	8	15	5	6	9	10	10	28
19	9	26	16	6	8	11	20	11	29
19	13	44	17	7	10	13	27	12	♋
19	18	1	18	8	11	15	29	14	1
19	22	18	19	9	13	17	28	15	2
19	26	34	20	11	15	19	22	16	3
19	30	50	21	12	17	21	14	17	4
19	35	5	22	13	19	23	2	18	5
19	39	20	23	15	21	24	47	19	6
19	43	34	24	16	23	26	30	20	7
19	47	47	25	17	25	28	10	21	8
19	52	0	26	18	26	29	46	22	9
19	56	12	27	20	28	1 ♊	19	23	10
20	0	24	28	21	♈	2	50	24	11
20	4	35	29	22	2	4	19	25	12
20	8	45	30	23	4	5	45	26	13

Sidereal Time.			10 ♒	11 ♒	12 ♈	Ascen ♊		2 ♊	3 ♋
H.	M.	S.	°	°	°	°	′	°	°
20	8	45	0	23	4	5	45	26	13
20	12	54	1	25	6	7	9	27	14
20	17	3	2	26	8	8	31	28	14
20	21	11	3	27	9	9	50	29	15
20	25	19	4	29	11	11	7	♋	16
20	29	26	5	♓	13	12	23	1	17
20	33	31	6	1	15	13	37	2	18
20	37	37	7	3	17	14	49	3	19
20	41	41	8	4	19	15	59	4	20
20	45	45	9	5	20	17	8	5	21
20	49	48	10	7	22	18	15	6	22
20	53	51	11	8	24	19	21	7	22
20	57	52	12	10	25	20	25	7	23
21	1	53	13	11	27	21	28	8	24
21	5	53	14	12	29	22	30	9	25
21	9	53	15	13	♉	23	31	10	26
21	13	52	16	14	2	24	31	11	27
21	17	50	17	16	4	25	30	12	28
21	21	47	18	17	5	26	27	12	28
21	25	44	19	18	7	27	24	13	29
21	29	40	20	20	8	28	19	14	♌
21	33	35	21	21	10	29	14	15	1
21	37	29	22	22	11	0 ♋	8	16	2
21	41	23	23	24	12	1	1	17	3
21	45	16	24	25	14	1	54	17	4
21	49	9	25	26	15	2	46	18	4
21	53	1	26	28	17	3	37	19	5
21	56	52	27	29	18	4	27	20	6
22	0	43	28	♈	20	5	17	20	7
22	4	33	29	2	21	6	5	21	8
22	8	23	30	3	22	6	54	22	8

Sidereal Time.			10 ♓	11 ♈	12 ♉	Ascen ♋		2 ♋	3 ♌
H.	M.	S.	°	°	°	°	′	°	°
22	8	23	0	3	22	6	54	22	8
22	12	12	1	4	23	7	42	23	9
22	16	0	2	5	25	8	29	23	10
22	19	48	3	7	26	9	16	24	11
22	23	35	4	8	27	10	3	25	12
22	27	22	5	9	29	10	49	26	13
22	31	8	6	11	♊	11	34	26	13
22	34	54	7	12	1	12	19	27	14
22	38	40	8	13	2	13	3	28	15
22	42	25	9	14	3	13	48	29	16
22	46	9	10	16	4	14	32	29	17
22	49	53	11	17	5	15	15	♌	17
22	53	37	12	18	7	15	58	1	18
22	57	20	13	19	8	16	41	2	19
23	1	3	14	20	9	17	24	2	20
23	4	46	15	22	10	18	6	3	21
23	8	28	16	23	11	18	48	4	21
23	12	10	17	24	12	19	30	4	22
23	15	52	18	25	13	20	11	5	23
23	19	34	19	27	14	20	52	6	24
23	23	15	20	28	15	21	33	6	25
23	26	56	21	29	16	22	14	7	26
23	30	37	22	♉	17	22	54	8	26
23	34	18	23	1	18	23	34	9	27
23	37	58	24	2	19	24	14	9	28
23	41	39	25	4	20	24	54	10	29
23	45	19	26	5	21	25	35	11	♍
23	49	0	27	6	22	26	14	11	0
23	52	40	28	7	22	26	54	12	1
23	56	20	29	8	23	27	33	13	2
24	0	0	30	9	24	28	12	14	3

TABLES OF HOUSES FOR NEW YORK, *Latitude* 40° 43′ N.

Sidereal Time. H.	M.	S.	10 ♈ °	11 ♉ °	12 ♊ °	Ascen ♋ °	′	2 ♌ °	3 ♍ °
0	0	0	0	6	15	18	53	8	1
0	3	40	1	7	16	19	38	9	2
0	7	20	2	8	17	20	23	10	3
0	11	0	3	9	18	21	9	11	4
0	14	41	4	11	19	21	55	12	5
0	18	21	5	12	20	22	40	12	5
0	22	2	6	13	21	23	24	13	6
0	25	42	7	14	22	24	8	14	7
0	29	23	8	15	23	24	54	15	8
0	33	4	9	16	23	25	37	15	9
0	36	45	10	17	24	26	22	16	10
0	40	26	11	18	25	27	5	17	11
0	44	8	12	19	26	27	50	18	12
0	47	50	13	20	27	28	33	19	13
0	51	32	14	21	28	29	18	19	13
0	55	14	15	22	28	0 ♌	3	20	14
0	58	57	16	23	29	0	46	21	15
1	2	40	17	24	♋	1	31	22	16
1	6	23	18	25	1	2	14	22	17
1	10	7	19	26	2	2	58	23	18
1	13	51	20	27	3	3	43	24	19
1	17	35	21	28	3	4	27	25	20
1	21	20	22	29	4	5	12	25	21
1	25	6	23	♊	5	5	56	26	22
1	28	52	24	1	6	6	40	27	22
1	32	38	25	2	7	7	25	28	23
1	36	25	26	2	8	8	9	29	24
1	40	12	27	3	9	8	53	♍	25
1	44	0	28	4	10	9	38	1	26
1	47	48	29	5	10	10	24	1	27
1	51	37	30	6	11	11	8	2	28

Sidereal Time. H.	M.	S.	10 ♉ °	11 ♊ °	12 ♋ °	Ascen ♌ °	′	2 ♍ °	3 ♍ °
1	51	37	0	6	11	11	8	2	28
1	55	27	1	7	12	11	53	3	29
1	59	17	2	8	13	12	38	4	♎
2	3	8	3	9	14	13	22	5	1
2	6	59	4	10	15	14	8	5	2
2	10	51	5	11	15	14	53	6	3
2	14	44	6	12	16	15	39	7	4
2	18	37	7	13	17	16	24	8	4
2	22	31	8	14	18	17	10	9	5
2	26	25	9	15	19	17	56	10	6
2	30	20	10	16	20	18	41	10	7
2	34	16	11	17	20	19	27	11	8
2	38	13	12	18	21	20	14	12	9
2	42	10	13	19	22	21	0	13	10
2	46	8	14	19	23	21	47	14	11
2	50	7	15	20	24	22	33	15	12
2	54	7	16	21	25	23	20	16	13
2	58	7	17	22	25	24	7	17	14
3	2	8	18	23	26	24	54	17	15
3	6	9	19	24	27	25	42	18	16
3	10	12	20	25	28	26	29	19	17
3	14	15	21	26	29	27	17	20	18
3	18	19	22	27	♌	28	4	21	19
3	22	23	23	28	1	28	52	22	20
3	26	29	24	29	1	29	40	23	21
3	30	35	25	♋	2	0 ♍	29	24	22
3	34	41	26	1	3	1	17	24	23
3	38	49	27	2	4	2	6	25	24
3	42	57	28	3	5	2	55	26	25
3	47	6	29	4	6	3	43	27	26
3	51	15	30	5	7	4	32	28	27

Sidereal Time. H.	M.	S.	10 ♊ °	11 ♋ °	12 ♌ °	Ascen ♍ °	′	2 ♍ °	3 ♎ °
3	51	15	0	5	7	4	32	28	27
3	55	25	1	6	8	5	22	29	28
3	59	36	2	6	8	6	10	♎	29
4	3	48	3	7	9	7	0	1	♏
4	8	0	4	8	10	7	49	2	1
4	12	13	5	9	11	8	40	3	2
4	16	26	6	10	12	9	30	4	3
4	20	40	7	11	13	10	19	4	4
4	24	55	8	12	14	11	10	5	5
4	29	10	9	13	15	12	0	6	6
4	33	26	10	14	16	12	51	7	7
4	37	42	11	15	16	13	41	8	8
4	41	59	12	16	17	14	32	9	9
4	46	16	13	17	18	15	23	10	10
4	50	34	14	18	19	16	14	11	11
4	54	52	15	19	20	17	5	12	12
4	59	10	16	20	21	17	56	13	13
5	3	29	17	21	22	18	47	14	14
5	7	49	18	22	23	19	39	15	15
5	12	9	19	23	24	20	30	16	16
5	16	29	20	24	25	21	22	17	17
5	20	49	21	25	25	22	13	18	18
5	25	9	22	26	26	23	5	18	19
5	29	30	23	27	27	23	57	19	20
5	33	51	24	28	28	24	49	20	21
5	38	12	25	29	29	25	40	21	22
5	42	34	26	♌	♍	26	32	22	22
5	46	55	27	1	1	27	25	23	23
5	51	17	28	2	2	28	16	24	24
5	55	38	29	3	3	29	8	25	25
6	0	0	30	4	4	30	0	26	26

Sidereal Time. H.	M.	S.	10 ♋ °	11 ♌ °	12 ♍ °	Ascen ♎ °	′	2 ♎ °	3 ♏ °
6	0	0	0	4	4	0	0	26	26
6	4	22	1	5	5	0	52	27	27
6	8	43	2	6	6	1	44	28	28
6	13	5	3	6	7	2	35	29	29
6	17	26	4	7	8	3	28	♏	♐
6	21	48	5	8	9	4	20	1	1
6	26	9	6	9	10	5	11	2	2
6	30	30	7	10	11	6	3	3	3
6	34	51	8	11	12	6	55	3	4
6	39	11	9	12	13	7	47	4	5
6	43	31	10	13	14	8	38	5	6
6	47	51	11	14	15	9	30	6	7
6	52	11	12	15	15	10	21	7	8
6	56	31	13	16	16	11	13	8	9
7	0	50	14	17	17	12	4	9	10
7	5	8	15	18	18	12	55	10	11
7	9	26	16	19	19	13	46	11	12
7	13	44	17	20	20	14	37	12	13
7	18	1	18	21	21	15	28	13	14
7	22	18	19	22	22	16	19	14	15
7	26	34	20	23	23	17	9	14	16
7	30	50	21	24	23	18	0	15	17
7	35	5	22	25	24	18	50	16	18
7	39	20	23	26	25	19	41	17	19
7	43	34	24	27	26	20	30	18	20
7	47	47	25	28	27	21	20	19	21
7	52	0	26	29	28	22	11	20	22
7	56	12	27	♍	29	23	0	21	23
8	0	24	28	1	♎	23	50	21	24
8	4	35	29	2	1	24	38	22	24
8	8	45	30	3	2	25	28	23	25

Sidereal Time. H.	M.	S.	10 ♌ °	11 ♍ °	12 ♎ °	Ascen ♎ °	′	2 ♏ °	3 ♐ °
8	8	45	0	3	2	25	28	23	25
8	12	54	1	4	3	26	17	24	26
8	17	3	2	5	4	27	5	25	27
8	21	11	3	6	5	27	54	26	28
8	25	19	4	7	6	28	43	27	29
8	29	26	5	8	7	29	31	28	♑
8	33	31	6	9	7	0 ♏	20	28	1
8	37	37	7	10	8	1	8	29	2
8	41	41	8	11	9	1	56	♐	3
8	45	45	9	12	10	2	43	1	4
8	49	48	10	13	11	3	31	2	5
8	53	51	11	14	12	4	18	3	6
8	57	52	12	15	12	5	6	4	7
9	1	53	13	16	13	5	53	5	8
9	5	53	14	17	14	6	40	5	9
9	9	53	15	18	15	7	27	6	10
9	13	52	16	19	16	8	13	7	10
9	17	50	17	20	17	9	0	8	11
9	21	47	18	21	18	9	46	9	12
9	25	44	19	22	19	10	33	10	13
9	29	40	20	23	19	11	19	10	14
9	33	35	21	24	20	12	4	11	15
9	37	29	22	24	21	12	50	12	16
9	41	23	23	25	22	13	36	13	17
9	45	16	24	26	23	14	21	14	18
9	49	9	25	27	24	15	7	15	19
9	53	1	26	28	24	15	52	15	20
9	56	52	27	29	25	16	38	16	21
10	0	43	28	♎	26	17	22	17	22
10	4	33	29	1	27	18	7	18	23
10	8	23	30	2	28	18	52	19	24

Sidereal Time. H.	M.	S.	10 ♍ °	11 ♎ °	12 ♎ °	Ascen ♏ °	′	2 ♐ °	3 ♑ °
10	8	23	0	2	28	18	52	19	24
10	12	12	1	3	29	19	36	20	25
10	16	0	2	4	29	20	22	20	26
10	19	48	3	5	♏	21	7	21	27
10	23	35	4	6	1	21	51	22	28
10	27	22	5	7	1	22	35	23	28
10	31	8	6	7	2	23	20	24	29
10	34	54	7	8	3	24	4	25	♒
10	38	40	8	9	4	24	48	25	1
10	42	25	9	10	5	25	33	26	2
10	46	9	10	11	6	26	17	27	3
10	49	53	11	12	7	27	2	28	4
10	53	37	12	13	7	27	46	29	5
10	57	20	13	14	8	28	29	♑	6
11	1	3	14	15	9	29	14	1	7
11	4	46	15	16	10	29	57	1	8
11	8	28	16	17	11	0 ♐	42	2	9
11	12	10	17	17	11	1	27	3	10
11	15	52	18	18	12	2	10	4	11
11	19	34	19	19	13	2	55	5	12
11	23	15	20	20	14	3	38	6	13
11	26	56	21	21	14	4	23	7	14
11	30	37	22	22	15	5	6	7	15
11	34	18	23	23	16	5	52	8	16
11	37	58	24	23	17	6	36	9	17
11	41	39	25	24	18	7	20	10	18
11	45	19	26	25	18	8	5	11	19
11	49	0	27	26	19	8	51	12	20
11	52	40	28	27	20	9	37	13	22
11	56	20	29	28	21	10	22	14	23
12	0	0	30	29	21	11	7	15	24

TABLES OF HOUSES FOR NEW YORK, *Latitude* 40° 43′ *N.*

Sidereal Time H.	M.	S.	10 ♎ °	11 ♎ °	12 ♏ °	Ascen ♐ °	′	2 ♑ °	3 ♒ °
12	0	0	0	29	21	11	7	15	24
12	3	40	1	♏	22	11	52	16	25
12	7	20	2	1	23	12	37	17	26
12	11	0	3	1	24	13	19	17	27
12	14	41	4	2	25	14	7	18	28
12	18	21	5	3	25	14	52	19	29
12	22	2	6	4	26	15	38	20	♓
12	25	42	7	5	27	16	23	21	1
12	29	23	8	6	28	17	11	22	2
12	33	4	9	6	28	17	58	23	3
12	36	45	10	7	29	18	45	24	4
12	40	26	11	8	♐	19	32	25	5
12	44	8	12	9	1	20	20	26	7
12	47	50	13	10	2	21	8	27	8
12	51	32	14	11	2	21	57	28	9
12	55	14	15	12	3	22	43	29	10
12	58	57	16	13	4	23	33	♒	11
13	2	40	17	13	5	24	22	1	12
13	6	23	18	14	6	25	11	2	13
13	10	7	19	15	7	26	1	3	15
13	13	51	20	16	7	26	51	5	16
13	17	35	21	17	8	27	40	6	17
13	21	20	22	18	9	28	32	7	18
13	25	6	23	19	10	29	23	8	19
13	28	52	24	19	10	0 ♑	14	9	20
13	32	38	25	20	11	1	7	10	21
13	36	25	26	21	12	2	0	11	23
13	40	12	27	22	13	2	52	12	24
13	44	0	28	23	13	3	46	13	25
13	47	48	29	24	14	4	41	15	26
13	51	37	30	25	15	5	35	16	27

Sidereal Time H.	M.	S.	10 ♏ °	11 ♏ °	12 ♐ °	Ascen ♑ °	′	2 ♒ °	3 ♓ °
13	51	37	0	25	15	5	35	16	27
13	55	27	1	25	16	6	30	17	29
13	59	17	2	26	17	7	27	18	♈
14	3	8	3	27	18	8	23	20	1
14	6	59	4	28	18	9	20	21	2
14	10	51	5	29	19	10	18	22	3
14	14	44	6	♐	20	11	16	23	5
14	18	37	7	1	21	12	15	24	6
14	22	31	8	2	22	13	15	26	7
14	26	25	9	2	23	14	16	27	8
14	30	20	10	3	24	15	17	28	9
14	34	16	11	4	24	16	19	♓	11
14	38	13	12	5	25	17	23	1	12
14	42	10	13	6	26	18	27	2	13
14	46	8	14	7	27	19	32	4	14
14	50	7	15	8	28	20	37	5	16
14	54	7	16	9	29	21	44	6	17
14	58	7	17	10	♑	22	51	8	18
15	2	8	18	10	1	23	59	9	19
15	6	9	19	11	2	25	9	11	20
15	10	12	20	12	3	26	19	12	22
15	14	15	21	13	4	27	31	14	23
15	18	19	22	14	5	28	43	15	24
15	22	23	23	15	6	29	57	16	25
15	26	29	24	16	6	1 ♒	12	18	26
15	30	35	25	17	7	2	28	19	28
15	34	41	26	18	8	3	46	21	29
15	38	49	27	19	9	5	5	22	♉
15	42	57	28	20	10	6	25	24	1
15	47	6	29	21	11	7	46	25	3
15	51	15	30	21	13	9	8	27	4

Sidereal Time H.	M.	S.	10 ♐ °	11 ♐ °	12 ♑ °	Ascen ♒ °	′	2 ♓ °	3 ♉ °
15	51	15	0	21	13	9	8	27	4
15	55	25	1	22	14	10	31	28	5
15	59	36	2	23	15	11	56	♈	6
16	3	48	3	24	16	13	23	1	7
16	8	0	4	25	17	14	50	3	9
16	12	13	5	26	18	16	19	4	10
16	16	26	6	27	19	17	50	6	11
16	20	40	7	28	20	19	22	7	12
16	24	55	8	29	21	20	56	9	13
16	29	10	9	♑	22	22	30	11	15
16	33	26	10	1	23	24	7	12	16
16	37	42	11	2	24	25	44	14	17
16	41	59	12	3	26	27	23	15	18
16	46	16	13	4	27	29	4	17	19
16	50	34	14	5	28	0 ♓	45	18	20
16	54	52	15	6	29	2	27	20	22
16	59	10	16	7	♒	4	11	21	23
17	3	29	17	8	2	5	56	23	24
17	7	49	18	9	3	7	43	24	25
17	12	9	19	10	4	9	30	26	26
17	16	29	20	11	5	11	18	27	27
17	20	49	21	12	7	13	8	29	28
17	25	9	22	13	8	14	57	♉	♊
17	29	30	23	14	9	16	48	2	1
17	33	51	24	15	10	18	41	3	2
17	38	12	25	16	12	20	33	5	3
17	42	34	26	17	13	22	25	6	4
17	46	55	27	19	14	24	19	7	5
17	51	17	28	20	16	26	12	9	6
17	55	38	29	21	17	28	7	10	7
18	0	0	30	22	18	30	0	12	9

Sidereal Time H.	M.	S.	10 ♑ °	11 ♑ °	12 ♒ °	Ascen ♈ °	′	2 ♉ °	3 ♊ °
18	0	0	0	22	18	0	0	12	9
18	4	22	1	23	20	1	53	13	10
18	8	43	2	24	21	3	48	14	11
18	13	5	3	25	23	5	41	16	12
18	17	26	4	26	24	7	35	17	13
18	21	48	5	27	25	9	27	18	14
18	26	9	6	28	27	11	19	20	15
18	30	30	7	29	28	13	12	21	16
18	34	51	8	♒	♓	15	3	22	17
18	39	11	9	2	1	16	52	23	18
18	43	31	10	3	3	18	42	25	19
18	47	51	11	4	4	20	30	26	20
18	52	11	12	5	5	22	17	27	21
18	56	31	13	6	7	24	4	29	22
19	0	50	14	7	9	25	49	♊	23
19	5	8	15	9	10	27	33	1	24
19	9	26	16	10	12	29	15	2	25
19	13	44	17	11	13	0 ♉	56	3	26
19	18	1	18	12	15	2	37	4	27
19	22	18	19	13	16	4	16	6	28
19	26	34	20	14	18	5	53	7	29
19	30	50	21	16	19	7	30	8	♋
19	35	5	22	17	21	9	4	9	1
19	39	20	23	18	22	10	38	10	2
19	43	34	24	10	24	12	10	11	3
19	47	47	25	20	25	13	41	12	4
19	52	0	26	21	27	15	10	13	5
19	56	12	27	23	29	16	37	14	6
20	0	24	28	24	♈	18	4	15	7
20	4	35	29	25	2	19	29	16	8
20	8	45	30	26	3	20	52	17	9

Sidereal Time H.	M.	S.	10 ♒ °	11 ♒ °	12 ♈ °	Ascen ♉ °	′	2 ♊ °	3 ♋ °
20	8	45	0	26	3	20	52	17	9
20	12	54	1	27	5	22	14	18	9
20	17	3	2	29	6	23	35	19	10
20	21	11	3	♓	8	24	55	20	11
20	25	19	4	1	9	26	14	21	12
20	29	26	5	2	11	27	31	22	13
20	33	31	6	3	12	28	47	23	14
20	37	37	7	5	14	0 ♊	3	24	15
20	41	41	8	6	15	1	17	25	16
20	45	45	9	7	16	2	29	26	17
20	49	48	10	8	18	3	41	27	18
20	53	51	11	10	19	4	51	28	19
20	57	52	12	11	21	6	1	29	20
21	1	53	13	12	22	7	9	♋	20
21	5	53	14	13	24	8	16	1	21
21	9	53	15	14	25	9	23	2	22
21	13	52	16	16	26	10	30	3	23
21	17	50	17	17	28	11	33	4	24
21	21	47	18	18	29	12	37	5	25
21	25	44	19	19	♉	13	41	6	26
21	29	40	20	21	2	14	43	6	27
21	33	35	21	22	3	15	44	7	28
21	37	29	22	23	4	16	45	8	28
21	41	23	23	24	6	17	45	9	29
21	45	16	24	25	7	18	44	10	♌
21	49	9	25	27	8	19	42	11	1
21	53	1	26	28	9	20	40	12	2
21	56	52	27	29	11	21	37	12	3
22	0	43	28	♈	12	22	33	13	4
22	4	33	29	1	13	23	30	14	5
22	8	23	30	3	14	24	25	15	5

Sidereal Time H.	M.	S.	10 ♓ °	11 ♈ °	12 ♉ °	Ascen ♊ °	′	2 ♋ °	3 ♌ °
22	8	23	0	3	14	24	25	15	5
22	12	12	1	4	15	25	19	16	6
22	16	0	2	5	17	26	14	17	7
22	19	48	3	6	18	27	8	17	8
22	23	35	4	7	19	28	0	18	9
22	27	22	5	8	20	28	53	19	10
22	31	8	6	10	21	29	46	20	11
22	34	54	7	11	22	0 ♋	37	21	11
22	38	40	8	12	23	1	28	21	12
22	42	25	9	13	24	2	20	22	13
22	46	9	10	14	25	3	9	23	14
22	49	53	11	15	27	3	59	24	15
22	53	37	12	17	28	4	49	24	16
22	57	20	13	18	29	5	38	25	17
23	1	3	14	19	♊	6	27	26	17
23	4	46	15	20	1	7	17	27	18
23	8	28	16	21	2	8	3	28	19
23	12	10	17	22	3	8	52	28	20
23	15	52	18	23	4	9	40	29	21
23	19	34	19	24	5	10	28	♌	22
23	23	15	20	26	6	11	15	1	23
23	26	56	21	27	7	12	2	2	23
23	30	37	22	28	8	12	49	2	24
23	34	18	23	29	9	13	37	3	25
23	37	58	24	♉	10	14	22	4	26
23	41	39	25	1	11	15	8	5	27
23	45	19	26	2	12	15	53	5	28
23	49	0	27	3	12	16	41	6	29
23	52	40	28	4	13	17	23	7	29
23	56	20	29	5	14	18	8	8	♍
24	0	0	30	6	15	18	53	9	1

PROPORTIONAL LOGARITHMS FOR FINDING THE PLANETS' PLACES

Min.	DEGREES OR HOURS																Min.
	0	1	2	3	4	5	6	7	8	9	10	11	12	13	14	15	
0	3.1584	1.3802	1.0792	9031	7781	6812	6021	5351	4771	4260	3802	3388	3010	2663	2341	2041	0
1	3.1584	1.3730	1.0756	9007	7763	6798	6009	5341	4762	4252	3795	3382	3004	2657	2336	2036	1
2	2.8573	1.3660	1.0720	8983	7745	6784	5997	5330	4753	4244	3788	3375	2998	2652	2330	2032	2
3	2.6812	1.3590	1.0685	8959	7728	6769	5985	5320	4744	4236	3780	3368	2992	2646	2325	2027	3
4	2.5563	1.3522	1.0649	8935	7710	6755	5973	5310	4735	4228	3773	3362	2986	2640	2320	2022	4
5	2.4594	1.3454	1.0614	8912	7692	6741	5961	5300	4726	4220	3766	3355	2980	2635	2315	2017	5
6	2.3802	1.3388	1.0580	8888	7674	6726	5949	5289	4717	4212	3759	3349	2974	2629	2310	2012	6
7	2.3133	1.3323	1.0546	8865	7657	6712	5937	5279	4708	4204	3752	3342	2968	2624	2305	2008	7
8	2.2553	1.3258	1.0511	8842	7639	6698	5925	5269	4699	4196	3745	3336	2962	2618	2300	2003	8
9	2.2041	1.3195	1.0478	8819	7622	6684	5913	5259	4690	4188	3737	3329	2956	2613	2295	1998	9
10	2.1584	1.3133	1.0444	8796	7604	6670	5902	5249	4682	4180	3730	3323	2950	2607	2289	1993	10
11	2.1170	1.3071	1.0411	8773	7587	6656	5890	5239	4673	4172	3723	3316	2944	2602	2284	1988	11
12	2.0792	1.3010	1.0378	8751	7570	6642	5878	5229	4664	4164	3716	3310	2938	2596	2279	1984	12
13	2.0444	1.2950	1.0345	8728	7552	6628	5866	5219	4655	4156	3709	3303	2933	2591	2274	1979	13
14	2.0122	1.2891	1.0313	8706	7535	6614	5855	5209	4646	4148	3702	3297	2927	2585	2269	1974	14
15	1.9823	1.2833	1.0280	8683	7518	6600	5843	5199	4638	4141	3695	3291	2921	2580	2264	1969	15
16	1.9542	1.2775	1.0248	8661	7501	6587	5832	5189	4629	4133	3688	3284	2915	2574	2259	1965	16
17	1.9279	1.2719	1.0216	8639	7484	6573	5820	5179	4620	4125	3681	3278	2909	2569	2254	1960	17
18	1.9031	1.2663	1.0185	8617	7467	6559	5809	5169	4611	4117	3674	3271	2903	2564	2249	1955	18
19	1.8796	1.2607	1.0153	8595	7451	6546	5797	5159	4603	4109	3667	3265	2897	2558	2244	1950	19
20	1.8573	1.2553	1.0122	8573	7434	6532	5786	5149	4594	4102	3660	3258	2891	2553	2239	1946	20
21	1.8361	1.2499	1.0091	8552	7417	6519	5774	5139	4585	4094	3653	3252	2885	2547	2234	1941	21
22	1.8159	1.2445	1.0061	8530	7401	6505	5763	5129	4577	4086	3646	3246	2880	2542	2229	1936	22
23	1.7966	1.2393	1.0030	8509	7384	6492	5752	5120	4568	4079	3639	3239	2874	2536	2223	1932	23
24	1.7781	1.2341	1.0000	8487	7368	6478	5740	5110	4559	4071	3632	3233	2868	2531	2218	1927	24
25	1.7604	1.2289	0.9970	8466	7351	6465	5729	5100	4551	4063	3625	3227	2862	2526	2213	1922	25
26	1.7434	1.2239	0.9940	8445	7335	6451	5718	5090	4542	4055	3618	3220	2856	2520	2208	1917	26
27	1.7270	1.2188	0.9910	8424	7318	6438	5706	5081	4534	4048	3611	3214	2850	2515	2203	1913	27
28	1.7112	1.2139	0.9881	8403	7302	6425	5695	5071	4525	4040	3604	3208	2845	2509	2198	1908	28
29	1.6960	1.2090	0.9852	8382	7286	6412	5684	5061	4516	4032	3597	3201	2839	2504	2193	1903	29
30	1.6812	1.2041	0.9823	8361	7270	6398	5673	5051	4508	4025	3590	3195	2833	2499	2188	1899	30
31	1.6670	1.1993	0.9794	8341	7254	6385	5662	5042	4499	4017	3583	3189	2827	2493	2183	1894	31
32	1.6532	1.1946	0.9765	8320	7238	6372	5651	5032	4491	4010	3576	3183	2821	2488	2178	1889	32
33	1.6398	1.1899	0.9737	8300	7222	6359	5640	5023	4482	4002	3570	3176	2816	2483	2173	1885	33
34	1.6269	1.1852	0.9708	8279	7206	6346	5629	5013	4474	3994	3563	3170	2810	2477	2168	1880	34
35	1.6143	1.1806	0.9680	8259	7190	6333	5618	5003	4466	3987	3556	3164	2804	2472	2164	1875	35
36	1.6021	1.1761	0.9652	8239	7174	6320	5607	4994	4457	3979	3549	3157	2798	2467	2159	1871	36
37	1.5902	1.1716	0.9625	8219	7159	6307	5596	4984	4449	3972	3542	3151	2793	2461	2154	1866	37
38	1.5786	1.1671	0.9597	8199	7143	6294	5585	4975	4440	3964	3535	3145	2787	2456	2149	1862	38
39	1.5673	1.1627	0.9570	8179	7128	6282	5574	4965	4432	3957	3529	3139	2781	2451	2144	1857	39
40	1.5563	1.1584	0.9542	8159	7112	6269	5563	4956	4424	3949	3522	3133	2775	2445	2139	1852	40
41	1.5456	1.1540	0.9515	8140	7097	6256	5552	4947	4415	3942	3515	3126	2770	2440	2134	1848	41
42	1.5351	1.1498	0.9488	8120	7081	6243	5541	4937	4407	3934	3508	3120	2764	2435	2129	1843	42
43	1.5249	1.1455	0.9462	8101	7066	6231	5531	4928	4399	3927	3501	3114	2758	2430	2124	1838	43
44	1.5149	1.1413	0.9435	8081	7050	6218	5520	4918	4390	3919	3495	3108	2753	2424	2119	1834	44
45	1.5051	1.1372	0.9409	8062	7035	6205	5509	4909	4382	3912	3488	3102	2747	2419	2114	1829	45
46	1.4956	1.1331	0.9383	8043	7020	6193	5498	4900	4374	3905	3481	3096	2741	2414	2109	1825	46
47	1.4863	1.1290	0.9356	8023	7005	6180	5488	4890	4365	3897	3475	3089	2736	2409	2104	1820	47
48	1.4771	1.1249	0.9330	8004	6990	6168	5477	4881	4357	3890	3468	3083	2730	2403	2099	1816	48
49	1.4682	1.1209	0.9305	7985	6975	6155	5466	4872	4349	3882	3461	3077	2724	2398	2095	1811	49
50	1.4594	1.1170	0.9279	7966	6960	6143	5456	4863	4341	3875	3454	3071	2719	2393	2090	1806	50
51	1.4508	1.1130	0.9254	7947	6945	6131	5445	4853	4333	3868	3448	3065	2713	2388	2085	1802	51
52	1.4424	1.1091	0.9228	7929	6930	6118	5435	4844	4324	3660	3441	3059	2707	2382	2080	1797	52
53	1.4341	1.1053	0.9203	7910	6915	6106	5424	4835	4316	3853	3434	3053	2702	2377	2075	1793	53
54	1.4260	1.1015	0.9178	7891	6900	6094	5414	4826	4308	3846	3428	3047	2696	2372	2070	1788	54
55	1.4180	1.0977	0.9153	7873	6885	6081	5403	4817	4300	3838	3421	3041	2691	2367	2065	1784	55
56	1.4102	1.0939	0.9128	7854	6871	6069	5393	4808	4292	3831	3415	3034	2685	2362	2061	1779	56
57	1.4025	1.0902	0.9104	7836	6856	6057	5382	4798	4284	3824	3408	3028	2679	2356	2056	1774	57
58	1.3949	1.0865	0.9079	7818	6841	6045	5372	4789	4276	3817	3401	3022	2674	2351	2051	1770	58
59	1.3875	1.0828	0.9055	7800	6827	6033	5361	4780	4268	3809	3395	3016	2668	2346	2046	1765	59
	0	1	2	3	4	5	6	7	8	9	10	11	12	13	14	15	

RULE:—*Add proportional log. of planet's daily motion to log. of time from noon, and the sum will be the log. of the motion required. Add this to planet's place at noon, if time be* p.m., *but subtract if* a.m. *and the sum will be planet's true place. If Retrograde, subtract for* p.m., *but add for* a.m.

What is the Long. of ☽ April 3rd, 1973 at 2.15 p.m.?
☽'s daily motion—14° 28′
Prop. Log. of 14° 28′ ... ... .2198
Prop. Log. of 2h. 15m. 1.0280
☽'s motion in 2h. 15m. = 1° 21′ or Log ... 1.2478
☽'s Long. on April 3 = 28° ♈ 11′ + 1° 21′ = 24° ♈ 32′.
The Daily Motions of the Sun, Moon, Mars, Venus and Mercury will be found on pages 26 to 28.

MADE IN ENGLAND